ABBY H.
LA VIE EN MAUVE
Plus on est de fous, plus on rit

Lisez tous mes livres!

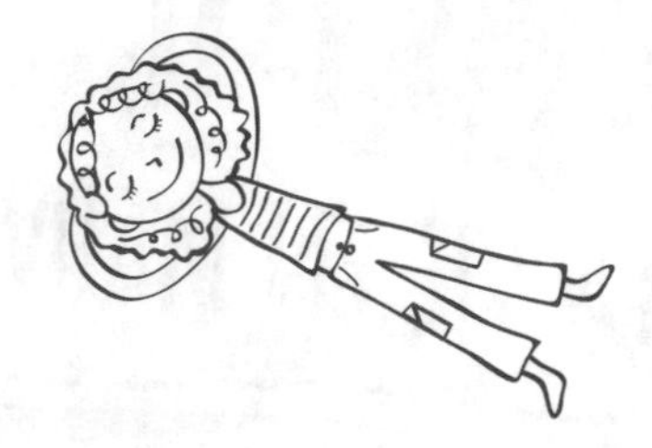

1 Après la pluie, le beau temps

2 La déclaration d'indépendance

3 Tout est bien qui finit bien!

4 Ça va comme sur des roulettes

5 Une fille avertie en vaut deux

6 Les paroles s'envolent, les écrits restent

7 Deux têtes valent mieux qu'une

8 Plus on est de fous, plus on rit

Plus on est de fous, plus on rit

ANNE MAZER

Texte français de Marie-Andrée Clermont

Éditions
SCHOLASTIC

À Miko

Catalogage avant publication de Bibliothèque
et Archives Canada

Mazer, Anne
Plus on est de fous, plus on rit / Anne Mazer;
texte français de Marie-Andrée Clermont.

(Abby H. ou la vie en mauve)
Traduction de : The More, the Merrier.
Pour les 8-12 ans.
ISBN 0-439-95369-3

I. Clermont, Marie-Andrée II. Titre. III. Collection :
Mazer, Anne Abby H. ou la vie en mauve.

PZ23.M4499Pl 2005 j813'.54 C2005-902311-2

Édition publiée par les Éditions Scholastic,
175 Hillmount Road, Markham (Ontario) L6C 1Z7.

5 4 3 2 1 Imprimé au Canada 05 06 07 08

Chapitre 1

Voici les raisons pour lesquelles mon cœur veut inviter tous les élèves de la cinquième année à une fête dont le thème sera « Vive l'été! » :

1. Ce sera amusant.
2. Tous mes amis vont venir.
3. Nous pourrons célébrer la fin de l'année scolaire.

4. Au menu : melon d'eau, crème glacée, hamburgers et hot dogs (ou burgers au tofu pour Béthanie), et salade de pommes de terre.
5. Les filles et les garçons pourront s'affronter (ha, ha, ha!).
6. On allumera un feu de joie et on fera griller des guimauves.

Un seul problème possible : la réaction de

maman et de papa. Comprendront-ils mes raisons de vouloir cette fête? Écouteront-ils « mon cœur »? (Ouache! On dirait que je parle d'un examen médical.)

Peut-être écouteront-ils mes poumons ou mon cerveau, ou encore mes reins, qui diront tous la même chose. Chaque partie de moi a envie d'organiser une fête!!!

Comment maman et papa réagiront-ils? Vont-ils m'accorder la permission? Isabelle et Éva, elles, passent leur temps à donner des fêtes qui sont toujours très courues!

J'espère que mes parents vont dire oui!

— Devinez quoi? chuchote Abby à ses meilleures amies, Jessica et Nathalie, pendant la classe.

Leur enseignante, Mme Doris, ramasse les devoirs de mathématiques, et les trois filles viennent de lui remettre leurs copies.

Nathalie lève les yeux du livre qu'elle lit, caché sous son pupitre.

— Quoi donc? demande-t-elle.

— Je vais demander à mes parents la permission d'organiser une fête de fin d'année! annonce Abby.

— Tu penses qu'ils vont dire oui? demande Jessica en repoussant de son visage une longue mèche brune.

— Pourquoi pas? Mes grandes sœurs en font tout le temps.

— Chanceuse! soupire Nathalie en refermant son livre pour le glisser dans son pupitre. Mes parents ne veulent pas que mon frère ou moi fassions des fêtes.

— J'ai préparé tous mes arguments, dit Abby.

Cela aide d'avoir une mère avocate et une grande sœur championne en débats oratoires. En 10 ans de vie avec elles, Abby a appris quelques trucs.

— J'espère que tes parents seront d'accord, dit Nathalie.

— Je vais inviter toute la cinquième année, enchaîne Abby. La classe de Mme Doris *et* celle de Mme Monica.

— Tout le monde? s'étonne Jessica, les sourcils froncés. Même Brianna?

— Ce ne serait pas tout le monde si elle ne venait pas, remarque Abby.

— Ouache! fait Jessica.

Les trois filles jettent un rapide coup d'œil vers Brianna, assise à son pupitre et entourée d'un cercle d'admirateurs. Vêtue d'une courte jupe en tissu argenté, surmontée d'un t-shirt en dentelle bleue, la jeune fille porte de minuscules boucles d'oreilles et du brillant à lèvres coloré.

— Mon spectacle de danse a été un triomphe, hier soir, se vante-t-elle, assez fort pour être entendue de toute la classe. Cinquante-deux personnes sont venues spécialement pour me voir.

— Je me demande si 52 personnes l'ont regardée manger son déjeuner, murmure Nathalie. Elle mastique sans doute mieux que n'importe qui, aussi.

— Si Brianna vient, Victoria va venir, elle aussi, marmonne Jessica, et elle est encore pire.

— Si la chose est possible, enchaîne Nathalie.

Victoria est une élève de Mme Monica, l'enseignante de l'autre cinquième année. Elle a fait équipe avec Brianna pour un projet de l'expo-sciences et les deux filles se sont liées d'amitié. Si Brianna est la meilleure, Victoria est la plus prétentieuse. La plus méchante, également.

— Personne ne sera laissé de côté, insiste Abby en hochant la tête.

— Elles vont gâcher ta fête, prédit Jessica.

— Mais non! rétorque Abby. Il va y avoir tellement de monde que personne ne va les remarquer.

— Ha! fait Nathalie.

Abby lance un regard maussade à ses amies.

— Si je ne les invite pas, c'est ma vie qu'elles vont gâcher!

— Là-dessus, tu as raison, admet Jessica.

— Je ne voudrais pas que Brianna soit fâchée contre moi, reconnaît Nathalie.

Jessica se penche sur sa tablette à dessin, puis elle la soulève pour la montrer à ses amies. Elle a griffonné un portrait de Brianna qui a l'air furibond, un nuage menaçant au-dessus de la tête.

— Mets-lui donc un éclair dans la main, suggère Abby.

Souriante, Jessica reprend son stylo. Ses deux amies la regardent faire.

Mme Doris tape dans ses mains.

— Allez, tout le monde à sa place, maintenant!

Levant la tête, Abby aperçoit Mme Élisabeth, son enseignante favorite, qui entre dans la classe. Une fois par semaine, celle-ci donne un cours de création littéraire aux élèves de Mme Doris. Aujourd'hui, elle porte un pantalon noir ajusté, un débardeur en soie, un collier et des boucles d'oreilles en argent. L'œil pétillant, elle se met à coller des images au tableau.

— Qu'est-ce qu'on fait, aujourd'hui? demande Mason, tout en enfonçant un gros doigt dans son nez.

Béthanie pousse un cri horrifié et Jessica s'écrie, les yeux au ciel :

— Ce qu'il peut être dégoûtant!

Mme Doris prend une pile de travaux et s'installe à un pupitre au fond de la classe.

— Chut! dit-elle. On se calme!

Mme Élisabeth affiche une dernière image et se tourne vers les jeunes.

— Le sujet d'aujourd'hui, c'est notre chambre, annonce-t-elle.

— Ouais! se réjouit Abby.

Mme Élisabeth pourrait lui demander de parler du sous-sol, du grenier, ou même de la remise au fond du jardin. Abby adore écrire sur n'importe quel sujet.

— Je vous demande de penser à votre chambre, poursuit l'enseignante. Comment est-elle? Est-ce un endroit spécial? Quand vous y êtes, que faites-vous? Et comment vous y sentez-vous?

— Je lis! répond Nathalie.

— Moi, je joue aux cartes, dit Béthanie, et j'observe mon hamster.

— Je dors, dit Tyler.

— J'écris mon journal! s'écrie Abby.

— Est-ce que votre chambre est telle que vous la souhaitez? demande Mme Élisabeth. De quelle façon aimeriez-vous la transformer? Quelle sorte de chambre aurez-vous envie d'avoir, une fois adultes?

Brianna lève la main.

— J'ai l'intention de vivre dans un manoir, déclare-t-elle, avec piscine intérieure, salle de cinéma et...

Mason rote bruyamment.

— Ma chambre sera remplie de cochonneries, affirme-t-il.

— Son esprit l'est déjà, murmure Abby.

— Inspirez-vous des chambres affichées au tableau, recommande Mme Élisabeth. Peut-être vous aideront-elles à voir la vôtre d'une tout autre façon.

Abby regarde le tableau.

— Je n'aime pas celles qui font « petite fille », chuchote-t-elle à l'oreille de Nathalie en désignant l'image d'une pièce toute rose, avec lit à baldaquin et rideaux froncés.

— Moi non plus, répond Nathalie tout bas. Je crois que j'aimerais vivre dans un laboratoire de chimie. Ou dans un château.

Abby fixe l'image d'une chambre où sont peintes des zébrures blanches et noires.

— Celle-là est magnifique, non? s'exclame-t-elle.

— Je déteste ça! répond Jessica. Ça m'étourdirait de vivre là-dedans.

— Moi, j'aurais envie de dessiner dans toutes les bandes claires. Ou alors d'y lancer de la peinture, dit Nathalie en lorgnant ses espadrilles blanches, couvertes de taches de couleur. Comme sur mes chaussures.

— Bon, commencez votre travail maintenant! dit Mme Élisabeth. Vous le terminerez chez vous et me le remettrez la semaine prochaine.

— Alors, c'est du travail à domicile! rigole Abby. Vous pigez?

Ses amies la regardent, déconcertées.

— Casey comprendrait, lui! dit Abby.

— Casey? Mais je pensais que tu ne l'aimais pas, dit Nathalie.

— Il est correct, dit Abby en haussant les épaules.

Casey, un élève de l'autre cinquième année, a été le coéquipier d'Abby à l'expo-sciences. Ils ne s'entendaient pas du tout, au début, mais maintenant, Abby le trouve sympathique. Ils ont le même sens de l'humour.

— Tu vas l'inviter, lui aussi? demande Jessica.

— Bien sûr! s'écrie Abby. Et Sara aussi.

Sara, la partenaire scientifique de Jessica, est aussi devenue son amie tandis qu'elles travaillaient à leur projet sur les étoiles et la pollution.

— Parfait, dit Jessica et, pour la première fois depuis le début de leur discussion au sujet de la fête, elle sourit à son amie.

Mme Élisabeth s'approche du pupitre d'Abby.

— Tu penses à ta chambre, Abby? demande-t-elle.

— Je pense à la fête que je veux faire chez moi, pour célébrer l'arrivée de l'été. Ça se passera peut-être dans ma chambre. Ou peut-être pas.

Elle ne pourrait pas faire entrer de 40 à 50 enfants dans sa chambre – pas tous en même temps, en tout cas.

— Ça promet d'être amusant, dit Mme Élisabeth en souriant. Mais maintenant, attaque-toi à ta composition.

Abby prend son stylo mauve et se met à noter ses idées concernant sa chambre. Quelles sont-elles, au juste?

Ma chambre a deux fenêtres, une porte et un garde-robe. (Que c'est excitant!)

Sur le plancher, il y a une carpette. Sur le

lit, un couvre-lit. Devant la fenêtre, des rideaux. (Impressionnant!)

Ma chambre, c'est là où je dors. (Ronflant!)

Voilà la composition la plus ennuyante que j'ai jamais écrite, et je pense que je vais arrêter, là tout de suite, de peur de m'end...

Abby laisse tomber son stylo avec fracas.

Elle qui se sentait tout feu tout flamme à l'idée de cette composition, il y a une minute à peine, est maintenant à court d'idées.

Sa chambre n'est-elle pas spéciale? Pourquoi n'a-t-elle rien à dire là-dessus?

Chapitre 2

Des calendriers aussi! Dans ma chambre, il n'y a qu'une seule bibliothèque, mais les murs sont couverts de calendriers.

Ce que je vois quand je regarde ma chambre :

1. Des calendriers.
2. Des calendriers.
3. Encore des calendriers.
4. Et... vous comprenez l'idée!

Si j'ai à présenter ma chambre dans mon devoir de création littéraire pour Mme Élisabeth, BIEN SÛR que je dois parler de mes multiples calendriers! Pourquoi n'y ai-je pas pensé tout de suite? Parce que j'avais une idée fixe : ma grande fête!

Casey Hoffman guide le ballon de basket en dribblant le long de l'allée des Hayes, fait une passe à Abby et crie bravo lorsqu'elle enfile un panier.

— Tes lancers sont de plus en plus précis, Hayes! lance-t-il.

— J'ai amélioré mon fouetté. Ça aide, ça aussi, Hoffman.

Casey hoche la tête. Il a les cheveux et les yeux foncés, et les oreilles légèrement décollées. Il s'est présenté chez Abby, il y a une demi-heure, pour lui proposer de jouer au basketball.

— Dommage qu'Alex ne soit pas là, dit Abby. Il sera furieux d'avoir manqué ta visite.

— Dis-lui qu'on joue au baseball, ce soir, au parc. Il pourra se joindre à nous, dit Casey en lançant le ballon dans le cerceau.

— D'accord, dit Abby en l'attrapant. Il sera content.

Le jeune frère d'Abby voue un véritable culte à Casey. Il aime être en sa compagnie et boit ses moindres paroles. Abby, pour sa part, trouve Casey correct, et elle l'aime bien... en tout cas de temps en temps.

Bon, d'accord, elle l'aime bien la plupart du temps. Il n'est ni fatigant comme Mason, Tyler ou encore Zach, ni ricaneur et maniaque des hamsters, comme Béthanie. Il ne surpasse pas Abby dans toutes les disciplines, comme ses super grandes sœurs. Et il comprend presque toutes ses blagues. Même quand ses amies ne la trouvent pas drôle, Casey apprécie son humour.

— Est-ce que je t'ai parlé de la fête que je veux organiser? demande-t-elle.

— C'est ton anniversaire? fait Casey en plissant le front. Je ne suis pas très doué pour trouver des cadeaux.

— Je veux donner une fête pour célébrer l'arrivée de l'été! explique Abby, et inviter la cinquième année au complet. Ça aura lieu dans notre cour. Si mes parents me donnent la permission, bien sûr, ajoute-t-elle.

— Formidable! J'espère qu'ils vont accepter, dit Casey en lui lançant le ballon.

— Moi aussi, dit Abby. Je vais leur en parler ce soir.

Elle prend une grande inspiration. Il *faut* que ses parents disent oui.

— Qu'est-ce que tu planifies? demande Casey. Des films? Des parties de volleyball? Des charades?

— On va allumer un feu de joie, griller des guimauves, organiser des jeux, et jaser, tout simplement.

— Ça va sûrement être amusant... commence Casey.

Mais voilà qu'une voix un peu trop familière se fait entendre derrière eux :

— Abby et Casey! roucoule Victoria. Enfin réunis.

Victoria et Brianna sont là, au bout de l'allée. Les filles les plus élégantes de la cinquième année arborent toutes deux un pantalon capri à motifs de fleurs, avec un t-shirt bordé de dentelle, des bracelets colorés et du brillant à lèvres.

— Elles font la paire, marmonne Abby entre ses dents.

Casey se met à rire.

— Casey et Abby, soupire Brianna. Décidément, vous êtes quasi inséparables, vous deux.

— Nous deux, on fait des lancers dans le filet, rétorque Abby en projetant le ballon vers Casey, qui réussit un panier.

— Des lancers, allons donc! dit Victoria. Vous faites, genre, un beau petit couple!

— Tu aurais besoin d'une grosse loupe! rétorque Abby.

— Ou de te faire ajuster la vue, renchérit Casey.

— Non, mais comprends-tu quelque chose à leur charabia? demande Victoria à Brianna.

Celle-ci hausse les épaules avec indifférence.

— J'ai entendu parler, genre, dc la fête que tu prépares, reprend Victoria en se tournant vers Abby.

— Je n'ai pas encore obtenu la permission, précise Abby.

— Mes parcnts me laissent faire toutes les réceptions que je veux, fanfaronne Brianna. On engage un traiteur.

— Reçois-tu un groupe sélect? veut savoir Victoria. Invites-tu seulement les élèves les plus dans le coup?

— J'invite toute la cinquième année. La fête aura pour thème « Vive l'été! »

— Tout le monde? demande Victoria. Les garçons, aussi, genre?

Abby fait oui de la tête.

— Les garçons de cinquième année?

— Oui, confirme Abby. Mason, Tyler, Jonathan, Zach, Casey...

— Pourquoi pas les garçons de sixième? suggère Victoria. Ils sont, genre, cent fois plus intéressants.

— Moi, j'invite des garçons de sixième et de septième à mes fêtes, se vante Brianna. Est-ce qu'il y aura de la danse? Fais-tu venir un groupe musical?

— Ce sera un gros pique-nique, précise Abby, et il y aura des jeux.

— Des jeux, relève Brianna. Quel genre?

— Volleyball, courses, kickball.

— Ça fait tellement... genre, école élémentaire, commente Victoria en plissant le nez.

— Hayes va organiser une fête splendide, intervient Casey, venant à sa rescousse. Tout le monde va bien s'amuser.

— Merci, Hoffman, dit Abby.

— Hayes? Hoffman? répète Brianna. Existez-vous pour de vrai, vous deux?

— Ils sont, genre, si adorables! s'exclame Victoria.

— Alors, allez-vous être de la partie? demande Abby, qui cherche à changer de sujet. Si mes parents sont d'accord, bien sûr.

Elle espère que les deux filles vont refuser.

— Eh bien, genre, si je ne suis pas totalement absorbée par d'autres activités... répond Victoria.

— Tu sais bien que, sans nous, la fête ne serait pas la

même, ajoute Brianna.

— Ça, tu peux le dire! approuve Abby.

Victoria jette un coup d'œil à sa montre.

— Brianna! glapit-elle. Il faut qu'on retourne chez moi. Ma cousine sera là, genre, dans 15 minutes.

Brianna pousse un soupir.

— Tu veux qu'on laisse Abby seule avec son petit ami?

— Ce n'est pas mon petit ami, réplique Abby.

— Mais non, bien sûr, gouaille Brianna.

— Allez, viens, Brianna, dit Victoria en entraînant son amie sur le trottoir. Salut, les tourtereaux!

— Piit, piit, piit! gazouille Abby.

Elle les suit des yeux le long de la rue, puis se retourne vers Casey.

— Elles sont, genre, tellement exécrables! dit-elle.

— Ouais, approuve Casey en lui lançant le ballon.

Abby le projette avec force. Il frappe le panneau arrière et retombe. Elle le rattrape, tente un nouvel essai et manque complètement son coup.

— Elles vont gâcher la fête si elles viennent, grogne-t-elle, le front plissé. Jessica m'a déjà prévenue et elle a probablement raison.

— Elles ne viendront peut-être même pas.

— Tu penses? fait Abby, dont le visage s'éclaire.

— Mais oui, quoi! Ta fête est tellement, genre, école élémentaire, raille-t-il. Pour les bébés aux couches, quoi!

Abby lui renvoie le ballon.

— C'est ça! Je vais donner une fête de style « école maternelle ». On fera la sieste, on construira des tours avec des cubes et on jouera à la marelle.

— Ouais, ça devrait les tenir à distance, dit Casey en envoyant le ballon dans le filet.

— Et tous les autres, aussi.

— Je ne pense pas, répond Casey en souriant. Je parie que bien des élèves de ma classe vont venir.

— Qu'est-ce que je peux faire à propos de Brianna et de Victoria?

— Ne pas t'occuper d'elles.

— Tu as bien raison.

Abby saisit le ballon et réussit un panier.

C'est elle (et pas Brianna ou Victoria) qui l'organise, cette fête. Et ce sera un franc succès! Si ses parents y consentent.

— Quand vas-tu demander la permission? demande Casey.

— Bientôt, promet Abby.

Chapitre 3

Non! Pas question! Je vais seulement espérer le meilleur : une fête où tout le monde viendra. Et je ne me préparerai pas au pire : le refus de mes parents.

Je ne veux même pas y penser. Non, ils ne PEUVENT PAS dire non! J'aimerais mieux avoir 10 Brianna et 30 Victoria que pas de fête du tout!

<u>Le grand débat sur la fête de fin d'année</u>

En direct du salon des Hayes. Là, tout de suite! En couleurs!

Les participants :

1. Paul et Olivia Hayes, parents de quatre enfants.

2. Abby Hayes, l'enfant du milieu.

Toutes les chances ne sont certainement pas du côté d'Abby, qui s'oppose, seule, à deux adultes, dont une avocate! Ce qui n'empêchera pas la brave jeune fille de 10 ans de présenter ses arguments pour prouver qu'elle a bien le droit d'inviter toute la cinquième année à une célébration de l'été.

Les trois opposants sont assis au salon. Paul Hayes sirote son café. Olivia Hayes fait gicler de la lotion dans sa paume pour l'étendre sur ses mains. Abby tire sur une petite peau, près de l'ongle de son index.

Ces occupations excitantes se poursuivent pendant quelques secondes. Puis, prenant tout à coup son courage à deux mains, Abby donne le coup d'envoi en déclarant :

– Je veux inviter toute la cinquième année à une fête.

– *NON!* s'exclament en même temps les parents Hayes.

Est-ce que c'en est fini du débat? Abby montera-t-elle dans sa chambre en pleurant?

Que non! Elle s'est bien préparée! Ayant prévu la réaction parentale, elle a fait provision d'arguments pour appuyer sa demande.

Abby débite la liste des fêtes que ses super grandes sœurs jumelles, qui sont en neuvième année, ont organisées dans les six derniers mois seulement.

– Éva a reçu ses équipes de lacrosse, de balle molle et de natation. Isabelle a invité son équipe de débat oratoire, son conseil étudiant, sa troupe d'art dramatique et son club des meilleurs élèves.

Olivia Hayes ne se montre guère impressionnée.

– Il n'y avait pas beaucoup d'invités à ces fêtes-là, souligne-t-elle, alors qu'il y aurait pas mal de monde à celle que tu envisages.

– Et puis après? rétorque Abby.

Cette brillante réplique ne réussit pas à ébranler ses parents. Abby brandit alors un autre argument, basé sur de savants calculs statistiques :

– Si on multiplie ces sept fêtes par une vingtaine d'invités chacune, on peut dire que mes super sœurs jumelles ont accueilli, ici à la maison, 104 personnes environ. Ça équivaut à un groupe trois fois et demi plus grand que celui que je veux réunir à la fête pour laquelle je vous demande la permission.

– Tu t'améliores en maths, commente Paul Hayes. Mais on ne peut pas échanger sept réceptions, petites ou moyennes, contre une seule très grosse.

– Et pourquoi pas? veut savoir Abby.

– Parce que, rétorquent ses parents.

Abasourdie par la logique de ses parents, Abby ne dit rien. Pendant un moment, le débat paraît devoir se clore sur une victoire de Paul et Olivia Hayes.

Mais un rebondissement surprise se produit lorsque la jeune fille, sautant sur ses pieds, se met à arpenter le salon à grands pas.

– Les élèves de cinquième année ont autant le droit de faire des fêtes que les élèves de neuvième! fait-elle valoir. D'autant plus qu'elles sont deux alors que moi, je suis toute seule! Éva et Isabelle ont organisé sept fêtes, cette année. Et moi? Zéro! Vous trouvez ça juste, hein?

Les parents Hayes soupirent. Olivia Hayes tente de négocier avec sa fille du milieu :

– Tu es sûre que tu ne préférerais pas une réunion plus intime? Pourquoi n'inviterais-tu pas Jessica, Nathalie et Béthanie à venir coucher?

Mais Abby ne bronche pas.

– Je veux une grosse fête, ou rien du tout.

Paul Hayes plisse le front. Olivia Hayes paraît réfléchir (à moins qu'elle ne s'inquiète au sujet d'un plaidoyer qu'elle doit faire, demain, au tribunal). Abby Hayes se croise les doigts et récite toutes les formules magiques de son répertoire.

Olivia Hayes parle la première :

– J'aimerais te dire non, mais tes arguments sont irréfutables.

– Hein? fait Abby.

– Ça signifie que personne ne peut nier la pertinence de tes arguments, explique Paul Hayes.

– Bon. D'accord. Si vous le dites.

Abby se demande ce qui pousse ses parents à la bombarder tout à coup de ces nouveaux mots de vocabulaire.

Sa mère sourit.

– Irréfutables, répète Abby, juste au cas où ce serait le mot magique qui obligerait ses parents à dire oui. Allez-vous me permettre d'organiser cette fête?

Paul Hayes prend le temps d'y réfléchir.

– Il faut que tu saches que ça demande beaucoup de travail, dit-il. Penses-tu en être capable?

– Oui! s'écrie Abby.

– Tu devras t'occuper de la planification et des invitations, enchaîne Olivia Hayes. Et tu devras tout nettoyer.

– Bien sûr!!! promet Abby. Je ferai n'importe quoi pour réunir ici tous mes camarades. Je suis prête à frotter les planchers, à laver les fenêtres, et même à tondre le gazon.

Paul et Olivia Hayes échangent un regard, et Abby retient son souffle.

– Bon, bon, c'est d'accord, disent-ils (enfin).

– Oh! Merci! Merci! Merci!

Abby se jette au cou de son père et de sa mère, et les embrasse tous les deux en même temps.

– Vous êtes les meilleurs parents qui ont jamais existé!

VICTOIRE!

Hourra! Hourra! Hourra! Est-ce que ça a été vraiment aussi facile? Je n'ai même pas eu à promettre de faire 30 ans de travaux forcés, ni même de balayer le garage ou le sous-sol pendant une fin de semaine (ha! ha! ha!). Tout ce que j'ai à faire, c'est de planifier, envoyer des invitations et nettoyer la maison! C'est du gâteau!

En parlant de gâteau, je vais devoir songer à celui dont j'ai envie. À la vanille ou au chocolat? Pourquoi pas aux carottes? Ou peut-être à l'orange ou encore au citron? Et comment le décorer?

Il va falloir aussi que je décide du menu, que je planifie des jeux et que je prépare les invitations.

Que de décisions à prendre! Et rapidement! La fête aura lieu dans quelques semaines seulement.

Chapitre 4

Je suis bien d'accord! Pourquoi les papeteries ne vendent-elles pas des crayons de deux mètres? Ou des bâtons de fusain longs comme des échasses? Ou des pinceaux télescopiques?

<u>Ce que je dessinerais sur mon plafond (si je le pouvais) :</u>

1. Mes amis
2. Moi-même (portant des boucles d'oreilles!)
3. Mon chaton, T-Jeff
4. Des volutes mauves

Ce que je ne dessinerais pas sur mon plafond :

1. Les réflexions et les récits que j'écris dans mon journal

2. Les invitations à ma fête

3. Ma rédaction pour le cours de création littéraire

Je dois terminer cette rédaction avant d'imprimer mes invitations. Je souhaiterais que mes parents ne suivent pas de si près mes devoirs!

Jusqu'ici, je n'ai écrit qu'un seul paragraphe - au sujet de mes calendriers (bien sûr). Je me demande ce que mes amis trouvent à écrire à propos de leur chambre, eux.

Abby referme son journal et s'étend sur son lit. Pendant un moment, elle contemple son plafond uni et l'imagine recouvert de volutes mauves, semblables à des nuages de couleur. Quel plaisir ce serait d'apercevoir, à chaque réveil, un plafond mauve parsemé de volutes!

— Un plafond mauve parsemé de volutes, dit-elle tout haut.

Elle étend le bras pour prendre le brouillon de sa rédaction et note ces mots sur le côté de la feuille.

Elle relit le paragraphe qu'elle a déjà composé :

Dans ma chambre, le temps m'entoure. Mes calendriers sont comme des arbres qui perdent leurs feuilles tous les 30 jours. Chaque mois, mes murs se parent d'un paysage nouveau.

C'est un bon début – mais elle n'y a rien ajouté, sauf « un plafond mauve parsemé de volutes ». Évidemment, Mme Élisabeth n'acceptera pas un devoir aussi court, et ses parents non plus!

Se redressant, Abby se remet à écrire.

Sans mes calendriers, ma chambre serait terne et ordinaire. Personne ne saurait rien de moi.

Personne ne se douterait que j'ai un chat. Le bol et la litière de T-Jeff sont dans la chambre d'Isabelle.

Personne ne pourrait deviner que j'aime écrire. Je cache mon journal mauve dans un endroit secret où mes super sœurs fouineuses ne peuvent pas le trouver.

Personne ne pourrait imaginer non plus à quel point j'aime le mauve. Je n'ai que quelques objets mauves :

1. Mon journal
2. Mon stylo
3. Un ourson que grand-maman Emma m'a donné

4. Des barrettes et des attaches pour les cheveux

5. Une petite boule de cristal en plastique pour lire l'avenir

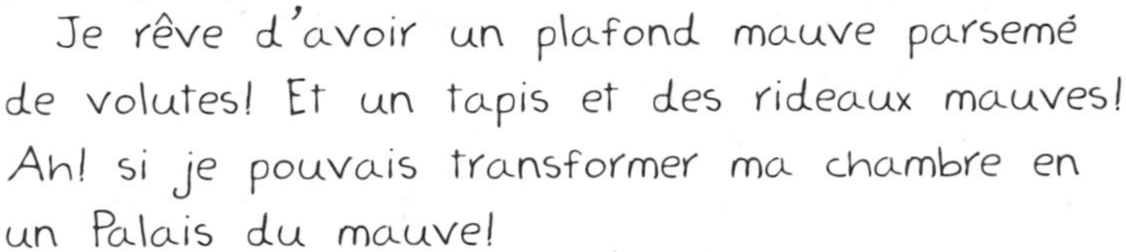

Je rêve d'avoir un plafond mauve parsemé de volutes! Et un tapis et des rideaux mauves! Ah! si je pouvais transformer ma chambre en un Palais du mauve!

Abby dépose son stylo. Elle prend son devoir et part à la recherche de ses parents.

— Abby, aurais-tu vu ma raquette de tennis? lui demande sa sœur Éva. J'ai regardé partout et je ne l'ai pas trouvée.

Éva porte un short et un t-shirt, et ses cheveux sont ramassés en queue de cheval.

— Je ne l'ai pas vue, répond Abby. Sais-tu où sont maman et papa?

— Non. Va voir dans la cour, réplique Éva en haussant les épaules.

Abby dévale l'escalier. Elle entend Éva hurler :

— Isabelle! Où est ma raquette de tennis?

Dans la cour, sa mère taille les rosiers tandis que son père retourne la terre de son futur potager. Abby brandit son brouillon au nez de celui-ci, car c'est lui qui vérifie habituellement ses travaux scolaires.

— J'ai terminé ma rédaction de création littéraire! annonce-t-elle. Et tous mes autres devoirs aussi. Est-ce que je peux imprimer mes invitations, maintenant?

— Montre-moi ce que tu as écrit, dit son père en posant sa pelle par terre.

— C'est un brouillon, explique Abby, qui lui passe la feuille. Je vais le mettre au propre, demain.

Son père fronce les sourcils en lisant.

— C'est un peu court, dit-il. Surtout pour toi.

— Je n'ai pas grand-chose à dire sur ma chambre! réplique Abby. À moins de rapporter des citations tirées de mes calendriers. Mais Mme Élisabeth préfère que j'utilise mes propres mots.

— Elle a raison, approuve son père, qui parcourt le texte de nouveau. Ça me paraît bien.

— Hourra! s'exclame Abby. Je peux utiliser ton ordinateur?

— As-tu vidé le lave-vaisselle? intervient sa mère.

— Oui, maman! J'ai fait *toutes* mes corvées!

Sa mère fait un petit signe d'approbation et son père lui remet son brouillon.

— Je me lave les mains et je monte t'installer à l'ordinateur, dit-il.

— Je peux le faire, papa. Je sais comment.

— D'accord. Rappelle-toi seulement de sortir du programme quand tu auras terminé.

— Je le sais, papa! commence Abby.

Elle est sur le point de lui expliquer qu'elle connaît très bien l'ordinateur et les logiciels quand Éva et Isabelle font irruption dans la cour. Éva a l'air furieuse.

Et Isabelle aussi.

— Maman! Papa! Isabelle s'est servie de ma raquette de tennis! s'écrie Éva. Sans me demander la permission.

— Mais Éva! Tu avais dit que je... commence Isabelle, dont les longs cheveux foncés sont retenus à l'arrière par une barrette rose et argent.

Elle affronte sa jumelle en tirant avec impatience sur une mèche rebelle.

— Ce n'est pas vrai! proteste Éva.

— Oui, tu l'as fait! Et pourquoi embêter maman et papa avec cette histoire? demande Isabelle d'un ton guindé. On ne pourrait pas régler ça entre nous?

— NON! répond Éva.

— N'as-tu pas ta propre raquette de tennis, Isabelle? demande Olivia Hayes en déposant son sécateur.

— J'en avais une, mais...

— Elle l'a prêtée, dit Éva, complétant la phrase de sa jumelle.

— Et après, Éva m'a dit...

— Je n'ai rien dit du tout! Je ne t'ai jamais donné la permission d'utiliser la mienne!

— C'est faux! rétorque Isabelle.

— C'est vrai! affirme Éva.

Abby jette un coup d'œil vers son père, qui a ramassé sa pelle et défait une motte de terre.

— Voleuse! cric Éva.

— Menteuse! accuse Isabelle.

— Tu peux prendre ma raquette quand tu veux,

Isabelle, intervient leur mère. Ne touche plus à celle de ta sœur. Et la discussion est close.

Les jumelles échangent un dernier regard courroucé, puis Éva se précipite dans la maison, claquant la porte derrière elle. Isabelle rentre à son tour, et la porte claque une autre fois.

— Une autre journée, une autre dispute, soupire Paul Hayes. Quand cela va-t-il finir?

— Je monte imprimer mes invitations, dit Abby.

Elle espère que ses sœurs n'ont pas l'intention d'utiliser l'ordinateur, elles aussi. Elle n'a aucune envie de se frotter à elles, en ce moment.

— J'ai du papier aux couleurs de l'arc-en-ciel dans mon bureau, dit sa mère. Sers-toi à volonté.

— Formidable! dit Abby.

En entrant dans la cuisine, elle aperçoit Isabelle et Éva qui sont assises à table et boivent du jus de pomme en bavardant comme si de rien n'était.

— Euh... salut, dit Abby, nerveuse.

Ses sœurs sont comme deux bombes qui pourraient éclater à tout moment. Ou pas.

— On parlait justement de la fête que tu prépares, dit Éva.

— Ah oui?

— Comment as-tu fait pour convaincre maman et papa? demande Isabelle en scrutant sa jeune sœur. Jamais Éva et moi n'avons eu le droit d'inviter toute la cinquième année!

— Ça nous impressionne, enchaîne Éva. Nous voulons connaître ta technique.

Abby se verse un verre de jus.

— Une logique irréfutable, dit-elle.

— Quoi? fait Éva.

— Ça veut dire qu'elle avait de meilleurs arguments qu'eux, idiote! explique Isabelle à sa sœur.

— Idiote? répète Éva, fusillant sa jumelle du regard.

— Laisse donc faire, dit Isabelle. Alors quels types d'arguments as-tu utilisés, Abby?

Abby devrait-elle leur dire qu'elle s'est servie d'elles, ses sœurs, justement, pour gagner sa cause? Sans doute pas. Abby boit son jus d'une traite et pose le verre vide sur le comptoir.

— Des arguments mathématiques, répond-elle en se rapprochant de la porte de la cuisine. Mais là, il faut que j'aille imprimer mes invitations.

En haut, dans le bureau de son père, Abby allume l'écran de l'ordinateur et ouvre le logiciel qui permet de créer des cartes de souhaits.

Elle fait d'abord défiler les illustrations disponibles. Désire-t-elle des ballons à gonfler ou de soccer? Des fleurs ou des gâteaux? Des arbres au bord d'un étang ou des oursons en peluche?

Et quelle police de caractères va-t-elle utiliser? Ordinaire? Calligraphiée? Gothique? Des caractères italiques? Une écriture script? Des lettres détachées?

Que de décisions à prendre!

Abby tape les mots : « Vive l'été! », et elle sélectionne diverses polices.

Elle ajoute des illustrations, puis les retire.

Elle essaie des arrière-plans texturés, d'autres qui sont unis.

Sur le papier arc-en-ciel de sa mère, elle imprime quelques invitations pour voir ce que cela donne. Mais aucune ne la satisfait complètement.

— Tu es encore là? s'écrie Isabelle.

— Je pensais que tu avais fini depuis longtemps, ajoute Éva.

Abby jette un œil à l'horloge. Deux heures ont passé, mais elle a l'impression de n'avoir été là que quelques minutes.

— Ça y est presque, ment-elle. Je n'en ai plus pour très longtemps.

Isabelle prend l'une des invitations.

— Tu as besoin d'aide, déclare-t-elle.

— Pourquoi ne pas rapetisser les caractères et mettre le fond plus brillant? suggère Éva, qui est penchée sur l'épaule de sa jumelle.

— Je pense qu'elle devrait plutôt grossir les caractères, dit Isabelle.

Abby arrache la feuille des mains de ses grandes sœurs.

— C'est *mon* invitation, dit-elle. Je la ferai comme je voudrai.

— Ah bon! Si tu le prends comme ça, dit Isabelle en

haussant les épaules.

— Les illustrations sont toutes croches, remarque Éva.

— Je ne veux pas d'aide, affirme Abby.

— Pourquoi pas? demande Isabelle. On s'y connaît et on a de l'expérience.

Éva passe son bras autour de l'épaule de sa jumelle.

— Oui, renchérit-elle, on a un « pouvoir gémellaire ».

— Non! fait Abby.

Mais ses sœurs ne l'écoutent pas. Saisissant une autre invitation dans l'imprimante, elles commencent à en faire la critique.

Chapitre 5

Dans mon cas, on pourrait aussi dire :

1. Plus on sera de monde à la fête, plus on va rire!

2. Plus il y a de calendriers dans ma chambre, plus je me réjouis!

3. Plus mes sœurs m'aident à imprimer mes invitations, plus je... pleure! Plus c'est pénible! Plus c'est interminable! Plus c'est déprimant!

Aucune de ces formules n'arrive à décrire ce qui est arrivé lorsque Éva et Isabelle se sont acharnées à vouloir améliorer mes invitations.

Elles se sont querellées pendant une demi-heure, à savoir si on devait écrire : « Vive l'été! » ou « Vive les vacances! »

Elles n'étaient pas non plus d'accord sur ce que je devrais mettre à l'arrière-plan : des piscines ou des raquettes de tennis.

Elles se sont chicanées sur la sorte de papier à utiliser : mauve, arc-en-ciel ou blanc uni avec des dessins de couleur?

Elles se sont chamaillées continuellement...

AAAAAAAAAAARRRRRRRRRRHHHHHH!

Le pouvoir gémellaire? Non, le baril de poudre gémellaire, plutôt!

Sans « l'aide » de mes sœurs, j'aurais terminé mes invitations mardi soir.

À cause d'elles, il a fallu que je finisse de les imprimer mercredi soir, pendant qu'elles étaient sorties. Je me suis hâtée de faire mes devoirs et de recopier ma rédaction.

(Je ne me suis pas appliquée autant que d'habitude dans ce travail de création littéraire. Pourvu que Mme Élisabeth comprenne!)

Maintenant qu'elles sont enfin prêtes, mes

invitations sont formidables!!! Je les ai imprimées sur le papier arc-en-ciel de maman, dans une calligraphie suggérée par Isabelle, sur un fond de ballons et d'étoiles.

Sur les conseils d'Éva, je les ai mises dans un sac de plastique pour les protéger. (Mes sœurs m'ont quand même donné quelques bonnes idées!)

Là, mes invitations attendent, dans mon sac à dos, que je les distribue pendant la récré, après le cours de Mme Élisabeth. Que j'ai donc hâte!!!

Debout devant la classe, Béthanie montre à ses camarades un dessin de son hamster Blondie dans sa cage, dessin qu'elle a fait avec tendresse.

— Ma chambre, commence-t-elle, est un somptueux appartement pour hamsters. Je l'ai décorée en pensant à Blondie. Ma chambre est le paradis des hamsters.

Ses camarades l'écoutent attentivement.

— Nous allons visiter chacune de vos chambres, aujourd'hui, a annoncé Mme Élisabeth au début de la période. Nous entreprenons une tournée des chambres de la cinquième année, sans même mettre les pieds chez vous!

Tout le monde s'est réjoui. Sauf Abby qui a baissé les

yeux vers son pupitre.

C'est une chose de remettre un devoir bâclé. C'en est une autre de le lire à haute voix. Si elle avait su, elle n'aurait pas précipité autant sa rédaction. Elle y aurait consacré plus de temps. Elle y aurait réfléchi davantage. Il doit bien y avoir autre chose à dire sur sa chambre.

Béthanie termine son exposé en décrivant une affiche représentant Brianna accrochée à son mur.

— Ouais, Brianna! dit-elle.

— Tu as oublié de souligner que l'affiche est signée, précise Brianna.

Pendant que Béthanie retourne à sa place, Nathalie bondit sur ses pieds et demande :

— Est-ce que ça pourrait être mon tour, maintenant, madame Élisabeth?

Mme Élisabeth lui fait signe que oui.

Nathalie s'élance vers l'avant de la classe, ses courts cheveux foncés en broussaille. Elle se met à lire une feuille toute froissée :

— Ma chambre est un sanctuaire dédié à Harry Potter. Mes draps, mes rideaux, mes pantoufles et ma robe de chambre sont à l'effigie d'Harry. J'ai lu chacun de ses livres 92 fois. J'ai aussi une étagère internationale sur laquelle j'ai placé les histoires d'Harry Potter traduites en six langues différentes : japonais, allemand, espagnol, danois, arabe et chinois. Non, je ne peux pas les lire, mais qui sait si je n'en serai pas capable, un jour? J'ai aussi une table sur laquelle je garde mon matériel de chimie, ainsi qu'une bibliothèque garnie de romans fantastiques et de récits à énigme. Ma penderie est remplie de capes et d'épées, de toges et de chapeaux originaux. Et j'ai un hamster baptisé Madame Curie.

— C'est une chambre des plus passionnantes! commente Mme Élisabeth.

Les élèves applaudissent. Abby pousse un soupir. La chambre de Nathalie ressemble tellement à... *Nathalie*!

Mason se traîne lourdement vers l'avant de la classe.

— Ma chambre est comme une zone sinistrée qui aurait été frappée par un ouragan, commence-t-il.

Toute la classe s'esclaffe.

— Elle est décorée de vieilles boîtes de pizza, d'un abat-jour brisé et d'une fenêtre fêlée, ajoute-t-il en souriant. Il y a une pile de vêtements d'un mètre de haut sur le lit. Et une affiche où l'on peut lire DANGER, sur la porte. Gare à vous si vous y entrez – vous n'en ressortirez peut-être pas! C'est à vos risques!

— Très bonne description! le félicite Mme Élisabeth. Mais j'ose espérer que tu as un peu exagéré.

— Pas beaucoup! avoue Mason.

Il tape dans la main de Zach en signe de victoire en retournant à sa place.

— Suivant? demande Mme Élisabeth. Y a-t-il des volontaires? Brianna?

— Mon texte s'intitule : *La Belle et la parfaite*, annonce Brianna.

Elle s'arrête, le temps de rejeter ses cheveux derrière son épaule et de lancer un sourire professionnel à la classe.

— Ma chambre est une réflexion de moi-même. La plus parfaite que j'aie jamais vue. J'ai mon propre centre audiovisuel, une télé à écran géant, un lecteur de DVD, une ligne de téléphone privée, un ordinateur et un lit à baldaquin décoré de dentelle belge.

— C'est « La Belle et la snobinette », chuchote Nathalie à l'oreille d'Abby.

— Tu peux le dire! répond Abby.

Des applaudissements polis s'élèvent lorsque Brianna termine sa présentation, ainsi qu'un « Ouais, Brianna! », de Béthanie.

— Quelle chambre tu as là, Brianna! commente Mme Élisabeth. Bon, qui n'a pas encore lu sa rédaction? demande-t-elle en scrutant la classe.

Abby se tortille sur sa chaise.

— Tu es donc bien tranquille, aujourd'hui, Abby, remarque l'enseignante. Pourquoi ne viens-tu pas lire ton texte, maintenant?

Abby se dirige lentement vers l'avant de la salle, déplie sa feuille et commence :

— Dans ma chambre, je suis entourée par le temps. Mes calendriers sont comme des arbres qui perdent leurs feuilles tous les 30 jours. Chaque mois, mes murs se parent d'un paysage nouveau.

Elle a le visage brûlant. Aucun autre élève n'a écrit

quelque chose de ce genre. Ses camarades vont-ils se moquer d'elle? Ou simplement ne rien comprendre? Elle précipite le reste de sa lecture pour conclure :

— Ah! si je pouvais transformer ma chambre en un Palais du mauve!

Abby jette un coup d'œil à son enseignante et revient discrètement à sa place.

— Très intéressant, Abby, dit Mme Élisabeth.

« Intéressant », répète Abby intérieurement. Un mot que tout le monde emploie. Un mot qui ne veut rien dire. Probablement moins que rien.

— J'ai bien aimé ça, lui chuchote Nathalie.

Abby fait la moue. Nathalie est son amie. Bien sûr qu'elle a aimé ça!

Peu importe ce que disent les autres, Abby sait très bien que sa rédaction est l'une des moins intéressantes de toute la classe – pas parce qu'elle ne peut pas écrire, mais parce qu'il n'y a rien à écrire sur sa chambre!

Sa chambre n'a rien d'un sanctuaire dédié à Harry Potter, ni d'une zone sinistrée, ni d'un paradis pour amateurs de hamsters. Ce n'est ni une maison dans un arbre – sauf dans son imagination – ni un Palais du mauve. Elle ne reflète ni sa personnalité ni ses goûts. C'est une chambre, en fait, qui n'a rien à voir avec Abby Hayes – une chambre fade et ordinaire, avec un tas de calendriers collés aux murs.

Chapitre 6

Je n'arrive pas à trouver le repos dans ma chambre! Surtout après avoir entendu ce que mes camarades de classe ont raconté sur la leur!

Est-ce que ça veut dire qu'il va m'arriver malheur? (Noooooon!!!)

Est-ce que ça veut dire que la fête virera au désastre? (Au secours!!!)

Est-ce que ça veut dire que mes camarades de classe vont vouloir visiter ma chambre pendant la fête? (Noooooon!!! Au secours!!! Là, on aurait un malheur ET un désastre!)

Ce que mes camarades de classe feront probablement en voyant ma chambre :

1. Rire.
2. Bâiller.
3. Filer vers la porte.

Et si je posais un panneau « Danger » sur ma porte? Ou des rubans orange comme ceux de la police?

Ce qu'il me faut, c'est une pancarte disant : « Danger : chambre ennuyante! »

(Une chance que j'ai ma fête à planifier!)

— Qui veut venir à une fête? claironne Abby. Voici des invitations.

Debout au milieu du terrain de jeux, elle brandit une pile de feuilles multicolores.

— Où est la mienne? veut savoir Mason. Je suis un fameux boute-en-train dans les fêtes!

— Je sais ça, dit Abby en lui tendant une invitation vert lime.

— Formidable! commente Tyler en lisant par-dessus l'épaule de son copain. Une fête pour tous les élèves de la cinquième!

— Et je l'organise moi-même, déclare Abby en lui remettant une invitation.

— Assure-toi qu'il y aura assez de bouffe, lui conseille Zach.

— Surtout si tu invites des gars, ajoute Rachel.

— Les filles mangent autant que les garçons! proteste Megan.

— Ouais! dit Mason, qui accompagne sa réponse d'un rot.

— Ouache! C'est dégoûtant! s'écrie Rachel.

Abby distribue une à une ses invitations à ses camarades de classe. Puis elle part à la recherche de Jessica.

Sa meilleure amie est suspendue par les genoux aux anneaux d'exercice, ses longs cheveux bruns traînant sur le sol. À ses côtés, Sara est suspendue par les mains.

— Avez-vous votre invitation? demande Abby en agitant ses feuilles sous leurs yeux.

Jessica se redresse et saute par terre.

— Je ne peux pas croire que tes parents ont dit oui! s'exclame-t-elle.

Abby hoche la tête.

— C'est moi seule qui planifie toute la fête. Ils me permettent de faire tout ce que je veux, pourvu que ça demeure dans les limites du raisonnable.

— Et si tu défonces les limites? plaisante Jessica.

— Tous mes plans sont raisonnables, puisqu'ils sont faits pour une bonne raison : c'est que tout le monde s'amuse bien!

Sara exécute un salto au-dessus des anneaux et bondit à terre, le visage rouge et dégoulinant de sueur.

— J'espère que tu pourras venir à la fête que j'organise, dit Abby en lui tendant une invitation.

Elle ne connaît pas très bien Sara, même si elles ont joué au soccer ensemble une ou deux fois. Ce n'est pas son amie à elle, mais celle de Jessica.

Sara repousse une mèche humide de son front. Elle jette un coup d'œil sur l'invitation et l'enfouit dans la poche de son short. Puis, rattrapant les anneaux, elle se met à se balancer.

— Es-tu capable de faire toute la rangée d'anneaux sans tomber? lui demande Jessica.

— Bien sûr! répond Sara en s'élançant vers l'anneau suivant.

Les deux filles semblent avoir complètement oublié Abby.

— À plus tard! leur lance celle-ci avant de s'élancer vers l'autre bout du terrain de jeux.

Béthanie et Nathalie sont en grande conversation près de la glissoire.

— Les hamsters sont des animaux nocturnes, explique Béthanie. Ils dorment le jour et jouent toute la nuit.

— Oui, j'ai remarqué, fait Nathalie en bâillant.

— Une fête! Une fête! crie Abby en s'approchant.

— Super! fait Nathalie.

— Génial! s'exclame Béthanie. J'ai vraiment hâte!

Brianna arrive derrière elles, et Abby se retourne pour lui remettre une invitation.

— Des photocopies sur du papier de couleur? commente Brianna en levant le nez. Quand je fais des fêtes, j'imprime toujours mes faire-part sur du papier personnalisé, fabriqué à la main, et j'utilise un lettrage calligraphique.

— Oui, je me rappelle, dit Béthanie.

— Tiens, salut, toi! fait Brianna en soulignant la présence de sa meilleure amie d'un signe de la main. *How are you?*

— Ow eur... quoi? demande Nathalie.

— C'est l'anglais le plus simple, répond Brianna.

— Jave pravéfavèrave pavarlaver javavanavais, rétorque Nathalie. Je préfère parler javanais.

— Et moi, java faire une fête, ajoute Abby en souriant.

— J'aimerais qu'il existe un langage des hamsters! soupire Béthanie.

— Est-ce qu'on ne peut jamais parler d'autre chose que de hamsters, avec toi? glapit Brianna en levant les yeux au ciel.

— Selon moi, genre, non, répond dédaigneusement Victoria en se joignant au groupe.

— Victoria! hurle Brianna, tournant le dos à Béthanie.

— Brianna! hurle à son tour Victoria. J'ai le CD le plus au max à te faire écouter. De Tiffany Crystal.

— Ouh! s'extasie Brianna. Je l'adore! Elle est fantastique!

— Son spectacle a lieu, genre, bientôt, dit Victoria. Est-ce que tu y vas?

— J'ai des billets gratuits, déclare Brianna. Mon cousin connaît l'électricien que Tiffany a engagé pour sa tournée.

— On y va ensemble, Brianna? demande Béthanie.

Faisant semblant de ne pas entendre sa meilleure amie, Brianna ne répond pas et passe plutôt son bras dans celui de Victoria. Les deux filles entonnent à tue-tête un succès platine de Tiffany :

— « Vilain amour douououou... »

Béthanie a l'air déprimée.

— Tiens, voici une invitation à ma fête, dit Abby en la glissant de force dans la main de Victoria.

— Ouh là là! Mais que c'est donc, genre, excitant! fait celle-ci, sarcastique. Que j'ai donc hâte!

Abby relève la tête.

— Il y aura des musiciens sur place, une tente, et des prix! dit-elle. Cette fête sera *formidable*!

— Gavaravantavi! renchérit Nathalie.

— Je suis contente que la fête ne tombe pas le même jour que le concert de Tiffany Crystal, dit Béthanie. Brianna et moi, nous adorons Tiffany.

Brianna se tourne vers Victoria.

— As-tu vu ma nouvelle collection de brillants à lèvres? lui demande-t-elle.

— C'est la plus belle, s'empresse de répondre Béthanie. Brianna a la plus grande collection de brillants à lèvres de toute la cinquième année.

— Viens, Brianna, dit Victoria en grimaçant. On n'arrive pas à se parler, ici, avec toutes les oreilles de hamsters qui nous écoutent.

Sans même un au revoir, les deux filles s'éloignent. Béthanie leur emboîte le pas pour un moment, puis elle bifurque vers un banc, où Nathalie et Abby la rejoignent.

— Je déteste Tiffany Crystal, dit Nathalie en s'assoyant à côté de Béthanie. Elle ne sait pas chanter.

— Elle est correcte, marmonne Béthanie. J'espère seulement que Brianna n'invitera pas Victoria à nous accompagner à son spectacle.

— Genre, pourquoi pas? fait Abby. Victoria est une fille, genre, tellement *chouette*!

Béthanie tente un sourire. Abby passe un bras autour de ses épaules.

— Voyons, Béthanie, ne te laisse pas abattre. Tu es tellement plus sympathique que Victoria.

— C'est vrai, renchérit Nathalie.

— Pensez-vous que Brianna le sait? demande Béthanie, l'air renfrogné.

Nathalie et Abby échangent un regard sans répondre.

Abby quitte ses copines pour distribuer le reste de ses invitations. Elle rencontre Casey et lui en donne une pile à remettre aux élèves de sa classe. Lorsqu'elle revient vers Béthanie et Nathalie, elle se rend compte qu'elles ont repris leur conversation sur les hamsters.

— Si on discutait d'un autre animal, pour faire changement? suggère Abby à la blague. Des émeus, par exemple? Des ocelots? Ou des mangoustes?

— C'est vrai qu'il y aura des musiciens sur place, une tente et des prix pendant la fête? demande Nathalie.

— Eh bien...

— Ne t'en fais pas, Abby, ta fête sera *presque* aussi réussie que celles que donne Brianna, assure Béthanie.

— Merci, Béthanie, dit Abby en fronçant les sourcils. Je préférerais ne pas avoir fait toutes ces promesses!

Elle traîne l'un de ses pieds sur le sol.

— La musique viendra d'un lecteur CD, dit-elle lentement. Alex va nous prêter sa tente de louveteau, et les prix seront probablement des paquets de crayons!

— Ce sera quand même très amusant, affirme Nathalie.

« Pourvu que Brianna et Victoria ne ridiculisent pas ma fête, s'inquiète Abby. Elles ont une façon d'amener les autres à penser comme elles. J'espère qu'elles ne demanderont pas à visiter ma chambre, non plus, ou qu'elles ne monteront pas la voir sans m'en parler. »

Abby espère, par-dessus tout, qu'elles ne seront pas trop méchantes à l'endroit de Béthanie.

Ne pourrait-on pas les emprisonner dans une cellule, le jour de la fête?

Chapitre 7

19 h 15 J'essaie de penser à ma chambre.

De quoi a-t-elle besoin? Comment l'améliorer? Réfléchis! Réfléchis! Réfléchis!

Qu'y a-t-il dans ma chambre (à part les calendriers)?

1. Une lampe (à l'affreuse peinture écaillée)
2. Une commode (aux tiroirs bondés qui recrachent les vêtements)
3. Un lit (pas fait)
4. Une chaise (dont un pied est entaillé)
5. Un miroir (barbouillé de traces de doigts)
6. Une horloge (en avance de six minutes)
7. Une table de travail (encombrée de livres et de papiers)

Y a-t-il un numéro 911 pour les chambres? La mienne a un urgent besoin de premiers soins! Y a-t-il un médecin des chambres dans la maison?

Je veux une chambre que je puisse montrer avec fierté à mes amis et à mes camarades de classe!

Je veux une chambre qui fasse jaser tout le monde!

Je veux une chambre dans laquelle je serai ravie de passer du temps!

Je veux une chambre signée Abby plutôt qu'une pièce qui pourrait appartenir à n'importe qui.

Ce que j'aimerais avoir dans ma chambre (à part des calendriers) :

1. Un zoo pour enfants
2. Une glissade d'eau et des montagnes russes
3. Un terrain de basketball
4. Une boutique de boucles d'oreilles
5. Un ordinateur bien à moi
6. Une machine de gommes à bulles

Ouais. Bien sûr. D'accord.

Comment je pourrais, concrètement, améliorer ma chambre (sans acheter d'autres calendriers) :

1. Faire mon lit
2. Passer l'aspirateur sur le plancher
3. Ranger ma table de travail

Aaaah! Blah! Ennuyant!

Si je fais le ménage dans ma chambre tout de suite, je vais devoir le refaire avant la fête. (À quoi bon gaspiller mon énergie? Une fois suffira bien!)

D'autres idées :

D'accord, oublions ça.

19 h 42

Nombre de minutes depuis le début de ma réflexion : 27

Nombre d'idées utiles qui ont germé dans ma tête : 0

J'inscrirai mon effort dans le Livre Hayes des records du monde comme « l'activité cérébrale la plus acharnée ayant produit les plus piètres résultats ».

Réfléchir est la tâche la plus difficile au monde!

Je dois améliorer ma chambre. Je dois améliorer ma chambre. Je dois améliorer ma chambre. Je dois...

Bon, bon, j'ai compris!!!

Ma mère me répète toujours : « Quand tu as un problème, analyse-le de l'extérieur. »

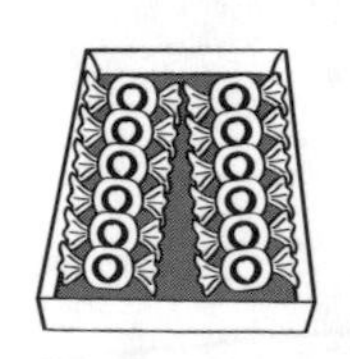

Qu'est-ce qu'elle veut dire par là? Est-ce que je devrais sortir dehors? Regarder ma chambre par la fenêtre? Je verrais quoi, au juste? Une chambre qui ressemble à une boîte - une boîte en désordre, terne, ennuyante à mourir. Bon, pourquoi ne pas sortir de ma chambre pour analyser mon problème de l'extérieur?!

19 h 48 Voilà! J'analyse mon problème de l'extérieur.

1. De la cour arrière, sombre et pluvieuse. Je pense parapluies, imperméables et lampes de poche. Idées qui germent dans mon esprit :

Orner mes murs de bottes, d'imperméables et de parapluies? Prendre pour thème les lampes de poche?

2. De l'entrée. Je trébuche sur les patins à roues alignées d'Alex. J'observe une tache sur le mur. J'écoute l'eau qui coule dans la douche. Idées qui germent : Installer une piste pour patins à roues alignées dans ma chambre? Ou peut-être une chute d'eau aux dimensions d'une pièce?

3. Du salon. Je regarde la télé, assise sur le divan. Idées qui germent : Déménager dans le salon et me désintéresser complètement de ma chambre.

20 h 30 Je suis incapable d'analyser le problème de l'extérieur!!! Ni de l'intérieur, non plus!

20 h 38 Je remonte à l'étage. En passant devant la chambre d'Isabelle, j'aperçois ma sœur qui est en train de se manucurer (encore). Je me sens trop abattue pour lui demander combien de fois elle a changé la couleur de ses ongles depuis le matin. (Comme utilisatrice de

vernis à ongles, elle a battu tous les records dans le Livre Hayes des records du monde.)

Isabelle lève les yeux et m'interpelle :

– Abby! J'ai quelque chose à te montrer!

– Quoi donc?

– Viens ici!

– Il faut vraiment?

– Oui!

– Pourquoi?

– Entre, tu verras bien!

20 h 39 Je pénètre dans la chambre d'Isabelle. Ma sœur est assise à son pupitre devant deux billions de flacons de vernis à ongles.

– Ouache! Ça pue, tout ça! dis-je.

– Et alors? J'aime ça, moi, réplique Isabelle en soufflant sur ses ongles.

– Ça va te pourrir le cerveau.

– Oui, bien sûr.

En tant que meilleure élève de la neuvième année, ma sœur n'a aucun besoin de défendre davantage son vernis à ongles adoré. Je marmonne :

– Ah, ouais, d'accord.

– Regarde, Abby! dit Isabelle.

Elle me brandit ses mains sous le nez, puis

elle les agite en faisant des ronds dans l'air.

– Quoi?

– Mes oncles, idiote!

Je regarde attentivement ses oncles - longs, luisants, mouillés, parfaitement manucurés, de forme ovale, bien attachés à ses doigts et...

Je m'exclame tout à coup :

– Ils sont mauves!!!

– Je me demandais quand tu finirais par le remarquer.

– Ils sont formidables!

– Je sais que tu adores cette couleur, me dit ma sœur en me tendant son flacon. Que dirais-tu d'avoir des ongles mauves, toi aussi?

– Merci, Isabelle!

Je m'apprête à dévisser le bouchon, mais Isabelle me montre la pile de livres sur son lit.

– Emporte-le dans ta chambre, dit-elle. Il faut que j'étudie.

20 h 58 De retour dans ma chambre avec le vernis d'Isabelle, je peins mes ongles d'un mauve riche, profond, resplendissant. Demain, je porterai un chemisier, des barrettes et des chaussettes mauves pour aller avec.

21 h 7 J'admire mes ongles mauves (et les

taches mauves sur le bout de mes doigts).

21 h 8 Je fais le tour de ma chambre des yeux, et je reviens à mes ongles mauves.

21 h 9 Une idée germe dans mon esprit.

21 h 10 Mes yeux se promènent de ma chambre à mes ongles : de ma chambre à mes ongles, de ma chambre à mes ongles, de ma chambre à mes ongles...

Jusqu'à en avoir le vertige.

21 h 13 EUREKA!!!!!!!!!!!! J'ai une idée!!!!!!!

21 h 13 Je bondis hors de ma chaise et je galope à travers la pièce.

21 h 15 J'entre en trombe dans la chambre d'Isabelle et je l'embrasse.

21 h 16 Sans m'occuper de son air abasourdi, je reviens à ma chambre en courant.

21 h 18 J'admire mes ongles. Je jette un autre regard sur la pièce.

21 h 21 Je compte l'argent dans mon tiroir.

21 h 22 Je le mets dans la poche du pantalon que je prévois porter demain.

21 h 26 Je me brosse les dents, j'enfile mon pyjama mauve et je grimpe dans mon lit.

Bonne nuit, beaux rêves!

Chapitre 8

Mme Élisabeth a bien raison!

Ce n'est pas en analysant le problème de l'extérieur, ni de l'intérieur, que j'ai trouvé l'inspiration. Ni même en réfléchissant. Ni en regardant la télé, ni en me tenant sous l'averse à la noirceur. Elle est venue du vernis à ongles d'Isabelle.

(Isabelle se doute-t-elle que son vernis à ongles est une source d'inspiration? Sait-elle que d'un petit flacon peuvent naître de grandes idées?)

Aujourd'hui, je vais acheter de la peinture et un pinceau. Aujourd'hui, je vais peindre ma lampe en mauve!!!!

Autres projets :

Acheter un couvre-lit mauve (si maman est d'accord).

Trouver un abat-jour mauve. (Est-ce que ça existe?)

Disposer des jouets mauves sur mes étagères. (Il va falloir que je commence une collection.)

Je transformerai ma chambre en un Palais du mauve! J'aménagerai l'abri d'Abby en un havre de paix absolument adorable, agréable et ahurissant!

— Est-ce que je peux repeindre ma lampe? demande Abby à son père et à sa mère, le samedi matin.

— Pourquoi pas? demande son père en haussant les sourcils. Ou plutôt, pourquoi donc?

— La dernière fois qu'on l'a repeinte, Isabelle et Éva étaient toutes petites, rappelle sa mère. On l'avait mise dans leur chambre de bébés.

— La peinture s'effrite, dit Abby. Et ce jaune est affreux!

— Ah! dit son père en avalant sa dernière gorgée de café.

— Est-ce que je peux la repeindre? insiste Abby. Ça mettrait un peu de gaîté dans ma chambre.

— Oui, mais à la condition expresse que ta fenêtre demeure ouverte! répond son père. Et avec plein de journaux par terre.

— Les journaux ne suffiront pas, intervient sa mère. Il faudrait qu'elle étende une toile protectrice sur son plancher. Ou, mieux encore, qu'elle la peigne dehors.

— Il pleut, aujourd'hui, fait remarquer Abby en montrant la fenêtre du doigt. Il va falloir que je le fasse dans ma chambre.

— Il reste des fonds de peinture dans le garage, dit son père. Un méli-mélo de bleu, de vert et de jaune. Suffisamment pour peindre un pied de lampe.

— Mais je veux du mauve! s'écrie Abby.

— Du mauve? répète son père.

— Du mauve, réitère Abby fermement. C'est ma couleur préférée. Je veux du mauve dans ma chambre.

Sa mère hoche la tête comme si elle comprenait son point de vue.

— Penses-tu que je pourrais acheter des draps mauves? lui demande Abby. Ou un couvre-lit mauve?

— Ton couvre-lit est encore en bon état, répond sa mère. Et nous avons tellement de draps que je ne veux pas en acheter d'autres.

Le visage d'Abby se rembrunit.

— Mais je vais me procurer du tissu mauve pour te confectionner des rideaux neufs, promet sa mère.

— Youpi! Des rideaux mauves! s'écrie Abby en ouvrant tout grands les bras. Maman! Tu es vraiment extraordinaire! Il y aura du mauve partout!

Sa mère secoue la tête en souriant.

— Je pars pour la quincaillerie dans une heure, dit son père. Seras-tu prête?
— Oui! promet Abby.

Abby déambule dans les allées où sont étalés marteaux, scies, perceuses, tubes de mastic, clous et vis, rubans à mesurer et accessoires de plomberie.
— Je ne savais pas qu'il y avait autant d'outils dans le monde, dit-elle à son père.
— La peinture est là-bas, dit celui-ci en désignant un comptoir jonché de pots empilés en pyramides. Prends quelques cartes de couleur et trouve le mauve idéal. Ensuite tu commanderas un demi-litre de peinture semi-brillante.
— Un demi-litre de peinture semi-brillante, répète Abby.
— À moins que tu ne préfères un fini plus éclatant. Tout dépend de ce que tu recherches.
Abby regarde ses ongles.
— Je veux que ce soit à peu près aussi luisant que ça, explique-t-elle.
— C'est ta chambre, dit son père.
— Un mauve éclatant va lui donner du caractère, fait valoir Abby.
— Si tu le dis. Bon, je vais être par là si tu as besoin de moi, dit son père en désignant l'autre bout du magasin. J'ai une douzaine de choses à acheter.
— D'accord. Merci, papa!

Abby se dirige aussitôt vers le rayon de la peinture.

— Où sont les cartes de couleur? demande-t-elle à la dame au comptoir.

— Là-bas.

— Avez-vous beaucoup de teintes de mauve?

— Oh, oui!

Et c'est bien vrai : des rangées de cartes présentent un éventail inimaginable de nuances diverses. Abby en choisit six et compare les pastilles de couleur à ses ongles. La dame la rejoint devant l'étalage.

— Tu as besoin d'aide? demande-t-elle. Je pourrais te montrer ce que nous avons. Ou tu peux regarder toi-même.

— J'essaie de trouver ce ton de mauve, dit Abby en brandissant ses ongles.

— C'est bien la première fois que je vois quelqu'un qui veut assortir une peinture à son vernis à ongles, commente la dame.

Elle prend les cartes des mains d'Abby et les examine rapidement.

— Tu as le choix entre ce mauve-ci, dans la famille des rouges, ou celui-là, dans la famille des bleus.

— Celui-ci, dit Abby, qui lit tout haut « Mauve du peuple ».

— Un nom bien étrange pour une couleur, dit la dame. Je me demande qui invente des appellations pareilles.

— Moi, je pense que je la baptiserais « Sursaut de joie », réplique Abby, car c'est la sensation que lui procure cette couleur.

— Et ça lui conviendrait bien mieux, reconnaît la dame. Tu devrais peut-être travailler pour la compagnie de peinture.

Abby sourit.

— Je pourrais en imaginer des centaines pour baptiser les différentes nuances de mauve! s'écrie-t-elle. Sursaut de joie, Raisin monumental, Violet olé-olé, Pourpre majestueux...

— Tu as besoin de combien de Mauve du peuple? demande la dame en la guidant vers la caisse. Et veux-tu un fini mat, semi-brillant ou lustré?

— C'est pour repeindre une lampe, lui confie Abby. Et peut-être aussi ma table de travail et ma commode.

— À ta place, je prendrais quatre litres de semi-brillant ou de lustré, conseille la dame. On a des soldes en ce moment : huit litres pour le prix de quatre.

— Je vais prendre quatre litres de peinture lustrée, dit Abby. Euh... je veux dire huit!

Avec ce deux pour le prix d'un, elle aura de la peinture à portée de la main pour tous les projets mauves qu'elle pourra échafauder. Elle pourra repeindre sa chaise, sa bibliothèque, et même son lit. Qu'elle a hâte que ses amis voient ça! Ils seront tellement impressionnés par sa chambre!

— Ce sera 21,95 $, dit la dame en posant deux pots de Mauve du peuple sur le comptoir. Tiens, voici un bâton à mélanger. As-tu besoin de pinceaux, de rouleaux ou de toiles protectrices?

— Non, merci. On en a à la maison.

Abby compte son argent, mais son père arrive sur ces entrefaites.

— C'est moi qui paie, dit-il.

— Vraiment? Merci, papa!

— Où est ton demi-litre de peinture? demande-t-il en sortant son porte-monnaie.

— J'en achète huit litres, répond Abby en montrant les deux contenants qui attendent sur le comptoir.

— Huit litres? s'écrie son père. Ça ne t'en prendra pas tant que ça!

— C'est en solde, papa!

— Non, Abby.

— Mais il m'en faut au moins quatre, proteste Abby. Je vais peut-être repeindre ma chaise et ma table de travail!

— C'est un spécial deux pour le prix d'un, explique la dame. Autant prendre les quatre autres litres : ils sont gratuits!

Mais le père d'Abby secoue la tête.

— Nous n'avons pas besoin de huit litres de Mauve du peuple!

— Et si je décidais de rafraîchir les vieux fauteuils en rotin de la cour, hein? J'aimerais peut-être avoir des meubles de jardin mauves pour ma fête de fin d'année!

— Tout ça demande beaucoup de travail, Abby. C'est du gros boulot. Tu en auras sans doute ras-le-bol de peindre avant même d'avoir fini ta lampe.

— Non. Je ne me fatiguerai pas si vite que ça.

— Abby, j'ai plus d'expérience que toi dans ce domaine.

— Les soldes se terminent demain, intervient la dame.

Abby prend une grande inspiration.

— Bon, bon, je prends les huit litres et je paie moi-même! C'est mon argent, et je peux décider de ce que je veux en faire.

Elle pose 22 $ sur le comptoir.

— C'est bien ça? demande la vendeuse en regardant le père d'Abby. Vous prenez les huit litres?

— Oui! affirme Abby.

— Bon, d'accord, dit Paul Hayes en rangeant son portefeuille dans sa poche. C'est ton argent.

La vendeuse colle des pastilles marquées « payé » sur les pots de peinture.

— Et voilà! Bonne chance dans ton projet! dit-elle à Abby.

Portant les pots de peinture, Paul Hayes quitte le magasin en compagnie de sa fille. Une fois dans la voiture, il met le contact, attache sa ceinture, puis tapote le volant en soupirant.

— Je te propose un marché, dit-il en se tournant vers Abby. Je t'en paie la moitié.

Il prend son portefeuille et en sort 11 $.

— Vraiment?

— J'avais dit que je paierais. Je veux tenir parole.

Abby saute au cou de son père.

— Tu ne le regretteras pas, promis! Ma chambre sera la plus belle que tu auras jamais vue!

Chapitre 9

Dimanche tôt

Ce n'est pas la chaise qu'il faut peindre, mais seulement ce que quelqu'un a ressenti à son égard.

Edvard Munch

Calendrier des meubles de jardin

Qu'est-ce que je ressens à l'égard de ma lampe?

1. Elle produit de la lumière pour que je puisse lire et écrire mon journal. (Merci, lampe.)
2. Elle trône sur ma table de travail. (Salut!)
3. Elle est d'un jaune moche. (J'ai tellement hâte qu'elle soit repeinte d'un mauve riche et éclatant!)

Et à l'égard de mes autres meubles?

1. Ils sont dans ma chambre. (Hourra!)
2. Ils sont blancs, bruns ou d'un bleu terne. (Ennuyant!)
3. Ils me rendent service. (Surprise!)

Non, je ne veux pas peindre ce que je ressens. Je veux ressentir une grande satisfaction après que j'aurai peint!

Pinceau à la main, Abby inspecte sa chambre. Elle a recouvert ses meubles et son plancher de toiles protectrices, de vieux draps et de journaux. Et elle a bien fait : la peinture a dégouliné ici et là, et il y a des marques de pinceau et des éclaboussures partout!

Elle-même est couverte de peinture. Son vieux jean et son t-shirt déchiré sont maculés de mauve. Elle a une traînée de peinture sur une joue et des reflets mauves égaient maintenant ses cheveux roux.

On jurerait qu'un ouragan mauve a balayé la pièce et son occupante.

Le résultat, cependant, est à la hauteur : la lampe, parfaitement mauve, resplendit de tout son éclat, plus belle qu'Abby n'aurait pu l'imaginer. Elle a seulement repeint une lampe, et toute sa chambre semble déjà transformée!

Abby enlève le drap qui recouvre sa table de travail (l'ancienne table d'Éva). Il y a de cela bien longtemps, son père l'avait repeinte en bleu. Çà et là, des traces d'une peinture verte plus ancienne transparaissent aussi.

Pendant un moment, Abby reste là à fixer la table.

La lampe a été difficile à repeindre, à cause de ses nombreuses surfaces courbes. Abby y est arrivée en utilisant un petit pinceau et en procédant lentement, à coups bien réguliers. La table, plate et rectangulaire, sera plus facile à faire. Il n'y a qu'un tiroir.

Que penserait-elle d'une table de travail mauve où trônerait une lampe de même couleur?

— Ce serait le sommet de la « mauvitude », dit-elle à haute voix.

Enfin, une chambre signée ABBY!

Elle brasse la peinture dans le pot, puis elle y trempe un large pinceau et l'élève au-dessus de la table.

— Alors, table, tu es prête? demande-t-elle.

Puis, à grands coups de pinceau, elle applique sur le meuble une couche bien lisse de mauve riche et profond.

Elle retire le tiroir, le dépose sur du papier journal et le badigeonne avec soin. Puis elle peint les côtés et le dos de sa table de travail, en s'efforçant d'éviter les bavures et de bien couvrir toutes les surfaces.

Elle place ensuite son pinceau sur le pot de peinture et recule pour admirer son œuvre.

Pas mal du tout. Bon, d'accord, elle l'avoue, c'est somptueux! Elle adore ça! Sa chambre est un million de fois plus belle qu'avant. Elle est probablement la seule fille de cinquième année à avoir des meubles mauves peints à la main!

Quelqu'un frappe à la porte de sa chambre.

— Qu'est-ce que tu peins? s'informe Éva.

— Les vapeurs se répandent jusqu'au fond du couloir, dit Isabelle en se pinçant le nez. Tu penses que mon vernis à ongles pue? Cette senteur-ci est pire encore!

— Moi, je trouve que ça sent bon! commence Abby.

Mais elle est interrompue par un hurlement d'Isabelle :

— HÉ! Mais c'est formidable!

Et un cri d'Éva :

— J'adore ça!

— Vraiment? dit Abby. Ça vous plaît?

— Tu as fait un travail prodigieux! s'exclame Isabelle, admirative. Sans bavure ni dégoulinage ni rien du tout.

— Je voulais rendre ma chambre inoubliable et unique, explique Abby.

— Mission accomplie! assure Éva.

— Personne ne va pouvoir l'oublier, renchérit Isabelle.

Abby hoche la tête. Jamais ses sœurs jumelles ne lui ont fait autant de compliments. Elles qui ont toujours tant de mal à s'entendre!

— Je la montrerai peut-être à mes amis pendant la fête, leur confie-t-elle.

— Justement, commence Isabelle. À propos de cette fête...

— Où en es-tu dans ta planification? enchaîne Éva. As-tu pensé aux jeux à organiser? Aux décorations? À la bouffe?

— Tout est planifié et prêt à livrer, répond Abby. Au menu : hot dogs, croustilles, maïs soufflé, salade de pommes de terre, melon, crème glacée et gâteau. J'ai fait une liste de jeux. Pourriez-vous me prêter votre lecteur de disques et quelques CD?

Isabelle fait oui de la tête.

— Qui s'occupe de la cuisine? demande Éva. Et des emplettes? Qui confectionne les desserts?

— Si tu veux, Éva et moi allons t'aider à faire les gâteaux, offre Isabelle avec gentillesse.

— Hum...

Abby hésite. Ses sœurs l'ont suffisamment aidée avec les invitations.

— Pour 50 jeunes, il faut deux grands gâteaux rectangulaires, estime Éva. Il faut aussi prévoir des assiettes de carton et des ustensiles de plastique. Et qu'est-ce que tu leur sers à boire?

— Oupse! J'ai oublié les boissons, reconnaît Abby.

— Il ne faut rien oublier, Abby. À force de s'activer, tes invités vont avoir soif, souligne Isabelle en hochant la tête. Tu en attends combien, au fait?

— Une cinquantaine, soit presque tout le monde, dit Abby. Sauf Brianna et Victoria – en tout cas, je l'espère, ajoute-t-elle en se croisant les doigts.

— Ouais, ces deux-là sont de vraies enquiquineuses! reconnaît Éva.

— Si 50 jeunes s'amènent, tu as certainement besoin de nous, ajoute Isabelle. Nous serons tes conseillères personnelles en élaboration de fête. D'accord, Éva?

— D'accord, Isabelle.

Abby les dévisage, étonnée. Cela arrive si peu souvent

que ses sœurs soient sur la même longueur d'onde, comme en ce moment. Leur cerveau aurait-il été affecté par la peinture mauve? Serait-ce dû aux vapeurs ou à la couleur?

— Nous nous chargerons d'organiser les activités, enchaîne Isabelle.

— Mais est-ce qu'une fête ne devrait pas être comme une récréation, où chacun choisit la façon de s'amuser? demande Abby.

— Avec autant de monde, ce serait aller au-devant de la pagaille, émet Éva.

— On a de l'expérience, fait valoir Isabelle, et plein d'idées.

— Si tu me repeins ma commode, je te donnerai toute l'aide que tu veux, promet Éva.

— Eh bien... commence Abby. Peut-être.

— Je t'offre la mienne gratuitement, déclare Isabelle en coulant un regard entendu à sa jumelle. Je ne vends pas mes services à ma petite sœur, moi!

Éva la fusille des yeux.

— On appelle ça du troc, réplique-t-elle. Il n'y a rien de mal à ça!

— J'adore peindre, intervient Abby pour changer de sujet. Quand je serai plus vieille, qui sait si je ne vais pas me trouver du travail comme peintre en bâtiments? Vous ne pensez pas que je serais bonne là-dedans?

— Oui, répondent Éva et Isabelle en même temps.

— Réfléchis à notre proposition, dit Isabelle.

— Promis.

« Je m'occuperai des détails de la fête très bientôt, se dit Abby. Pour le moment, mon sujet de préoccupation le plus important est ma chambre. »

Une dernière fois, les jumelles admirent la lampe et la table de travail.

— J'adore ça! répète Éva. C'est franchement fantastique!

— Hallucinant! renchérit Isabelle.

— Splendeur mauve! déclare Abby.

— C'est un beau nom pour une couleur, dit Éva.

— Splendeur mauve, répète Abby tandis que ses sœurs quittent la pièce.

Les mots roulent sur sa langue à la manière d'une musique envoûtante.

Elle est envoûtée! Voilà! Un envoûtement mauve! La mauvemania! Elle soulève un rouleau à peindre et le tient en l'air. À quoi pourrait-elle bien s'attaquer maintenant, avec toute la peinture qui lui reste? Elle a à peine entamé ses huit litres.

« Si ma chambre paraît somptueuse avec une lampe et une table de travail mauves, de quoi aurait-elle l'air si tout était mauve? » se demande-t-elle.

Par où commencer?

La commode? Trop de tiroirs! La chaise! Trop de formes arrondies. La bibliothèque? Trop de livres et de jouets à enlever.

Abby étudie sa chambre un moment. Elle se penche

et verse une petite quantité de peinture dans son bac. Un petit mouvement de va-et-vient pour bien imbiber le rouleau de mauve lustré... Puis elle le glisse sur une section nue de son mur.

Chapitre 10

Ce qu'ont fait mes mains :

Elles ont peint les murs de ma chambre en mauve lustré.

Ainsi que ma bibliothèque.

(Et si je n'avais pas épuisé toute ma peinture, j'aurais aussi repeint ma chaise et ma commode.)

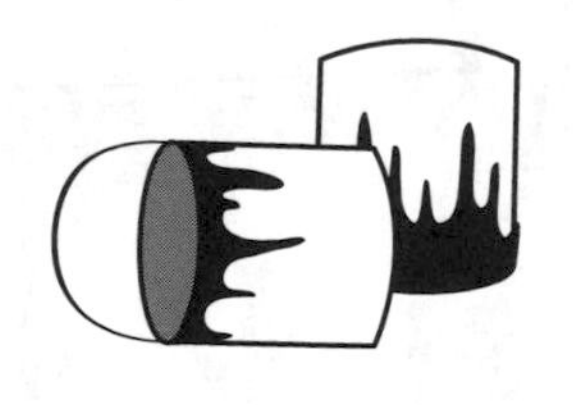

Ce qu'ont vu mes yeux :

Du mauve, du mauve partout! Ma chambre est une mer de mauve brillant!

Mes murs sont très mauves.

J'ai l'impression de me retrouver à l'intérieur d'un raisin ou d'une boîte mauve géante.

Je vais inscrire ma chambre dans le Livre Hayes des records du monde sous la rubrique : « pièce peinte avec le maximum de mauve imaginable » et « transformation la plus spectaculaire d'une pièce pitoyable et pathétique ».

Je l'adore! Je l'adore! Je l'adore!

Ce qu'ont encore à faire mes mains :

Un bon nettoyage!!!

Je dois laver les pinceaux et les rouleaux.

Ranger les bacs à peinture et empiler les pots vides dans le garage.

Jeter les journaux. Plier les vieux draps et les toiles protectrices.

Prendre une douche et me changer.

Ce qu'ont encore à voir mes yeux :

La réaction des membres de ma famille lorsqu'ils pénétreront dans le Palais du mauve!

Vont-ils bondir d'excitation?

Vont-ils vouloir une chambre mauve, eux aussi?

Décideront-ils de repeindre toute la maison en mauve?

Serai-je capable d'avoir une fête en mauve?

(Note : Je vais demander à maman si je peux acheter des assiettes, des tasses, des serviettes de table et des prix de présence mauves, et du glaçage mauve pour les gâteaux. Dommage que je n'y aie pas pensé plus tôt : j'aurais suggéré à mes camarades de venir à la fête habillés en mauve!)

C'est bientôt l'heure de souper. Après le dessert, je vais emmener ma famille voir ma chambre.

La pièce mauve

par Abby H.

Décor : Une chambre mauve

Personnages : La famille Hayes, c'est-à-dire Paul, Olivia, Éva, Isabelle, Alex et Abby

Quand : Le dimanche soir après souper

Le rideau s'ouvre sur Abby Hayes, une fille de 10 ans aux cheveux roux frisés (ornés de quelques mèches mauves), qui entraîne sa famille à l'étage vers sa chambre.

Éva : Vous n'en reviendrez pas, maman et papa!

Isabelle : Qu'est-ce que tu as fait de plus, Abby?

Abby (d'un ton mystérieux) : Oh, j'ai donné quelques coups de pinceau par-ci par-là.

Olivia Hayes : J'ai bien hâte de voir ça!

Paul Hayes : Tu as utilisé tes huit litres de peinture? Je suis impressionné. Tu es certaine que tu ne les as pas versés dans l'évier?

Abby : Ha! ha! Très drôle.

Alex : Est-ce que je peux peindre ma lampe, moi aussi?

Paul Hayes (en grognant) : Tu vois ce que tu as déclenché?

Abby : Une émeute en mauve?

Olivia Hayes : Tu as même nettoyé après?

Abby : Oui.

Les Hayes atteignent le haut de l'escalier. Avec un sourire triomphant, Abby ouvre toute grande la porte de sa chambre.

Abby : VIVEZ L'EXPÉRIENCE DU MAUVE!

Bouche bée, yeux grands ouverts, mains à la gorge, les Hayes scrutent les murs et les meubles.

Pour la première fois dans les annales familiales, Isabelle et Éva demeurent sans voix.

Le silence se prolonge pendant plusieurs minutes. Il est finalement rompu par Olivia Hayes.

Olivia Hayes : Ta chambre est tellement, tellement mauve!

Paul Hayes : Le Mauve du peuple prend du « gallon ».

Éva : Wow! Wow! Wow!

Isabelle (qui a du mal à respirer) : Oh! c'est comme si tu avais peint tes murs avec du vernis à ongles!

Abby : Tout à fait.

Alex : Super! Impressionnant! Génial!

Olivia Hayes fronce les sourcils. Paul Hayes se gratte la barbe. Les parents Hayes montrent des signes d'inquiétude.

Abby : N'est-ce pas magnifique, maman et papa?

Olivia Hayes : Combien faudra-t-il de couches de peinture pour couvrir ça?

Paul Hayes : Probablement six.

Olivia Hayes : On pourrait tapisser les murs avec des draps.

Paul Hayes : Ou du papier peint.

Olivia Hayes : Les couvrir de lambris de pin, peut-être?

Abby : Une petite minute! Je ne veux rien changer! J'adore ma chambre mauve!!!

Paul Hayes : Dans une semaine, tu vas te lamenter pour avoir des murs blancs.

Abby : Pas du tout.

Olivia Hayes : Ne préférerais-tu pas un ton lilas tranquille, qui serait doux et reposant?

Abby : Non!

Paul Hayes : Peux-tu vraiment vivre avec ça, Abby?

Abby : Bien sûr!

Les parents Hayes se tournent alors l'un vers l'autre et haussent les épaules.

Olivia Hayes : C'est sa chambre, après tout.

Paul Hayes : Quand elle en aura assez, elle n'aura qu'à la repeindre.

Olivia Hayes : Et tes rideaux, Abby? Tu as changé d'idée, j'espère. Il y a bien assez de mauve comme ça.

Abby : Non! Il n'y a jamais assez de mauve! Plus il y en a, mieux c'est!

À la fin de la pièce, Éva, Isabelle et Alex s'agglutinent autour d'Abby pour lui demander de repeindre leur chambre.

PEINTURE MAUVE POUR TOUJOURS!!!

Je vais appeler tous mes amis pour leur raconter ça.

Non, je vais plutôt leur faire la surprise.

Chapitre 11

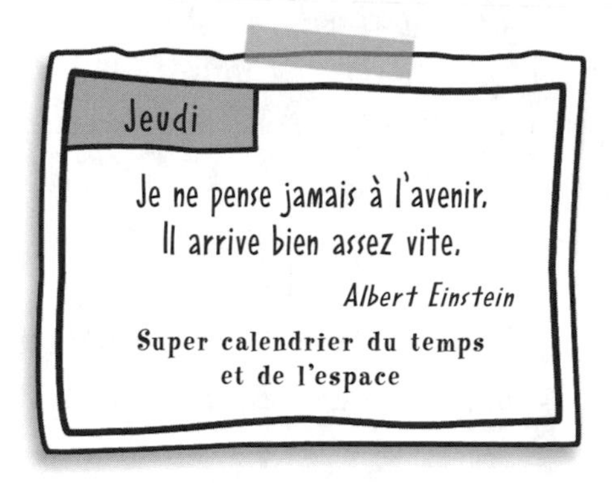

Il a tout à fait raison!!!
L'avenir, c'est très loin.
Le présent, c'est tout de suite.
Je pense au présent, pas à l'avenir.

Le présent :

Ma chambre est magnifiquement mauve. Hier soir, j'ai repeint ma commode et ma chaise avec d'autre Mauve du peuple. Maman est en train de me confectionner des rideaux dans un tissu lilas pâle à pois mauves. Elle m'a aussi donné un couvre-lit à motifs mauves. Pourquoi devrais-je penser à l'avenir quand mon présent est magnifiquement mauve???

Du mauve, j'en mangerais, comme un des meilleurs mets au monde. Mordre dans le mauve! Merveilleux! Même le mot « mauve » m'émeut!

(Beaucoup de sons « m » dans le même paragraphe! Si vous pouvez répéter ça sept fois, très vite et sans bafouiller, vous mériterez une page dans le Livre Hayes des records du monde!)

L'avenir :

Éva et Isabelle veulent que je pense à l'avenir. L'avenir, c'est ma fête de fin d'année. Elles voudraient que j'aie tout planifié, tout préparé d'avance. Mais il me reste encore plus d'une semaine!!! Et j'ai déjà réglé une partie des préparatifs.

Avec maman, j'ai acheté des fourchettes, des cuillères et des couteaux en plastique, des tasses et des assiettes en carton, des serviettes de table, 10 bouteilles de boissons gazeuses et des prix de présence. Oui, ce sont des crayons.

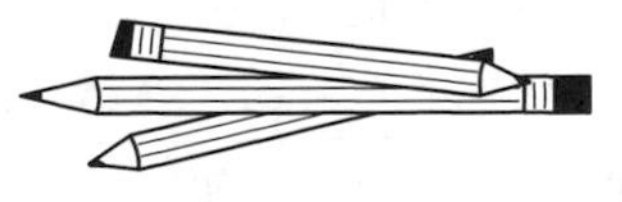

Vous voyez bien que je me prépare, Éva et Isabelle!

Si j'écoutais mes sœurs jumelles « si connaissantes et expérimentées », je passerais chaque seconde à me préoccuper de l'avenir. Mais je préfère jouir (au présent) de ma chambre magnifiquement mauve!!!

Hier soir, j'ai accroché mes calendriers aux murs. Le résultat est époustouflant : dans ma chambre fraîchement repeinte, les images d'animaux, d'océans, de légumes et de couchers de soleil se découpent avec beaucoup de panache!

— Je vous rapporte vos rédactions sur vos chambres, annonce Mme Élisabeth à la cinquième année en montrant une pile de papiers. Je les ai toutes relues, sans exception.

Abby sent son cœur se serrer. Cette composition n'est pas une de ses meilleures – sans doute une des pires qu'elle ait jamais rédigées. La semaine dernière, elle avait du mal à dire quoi que ce soit sur sa chambre.

Tyler lève la main.

— Pourquoi aviez-vous besoin d'en faire une deuxième lecture? demande-t-il. On les avait lues à haute voix en classe!

Mme Élisabeth hoche la tête.

— Lire un texte soi-même et entendre quelqu'un d'autre le lire sont deux expériences bien différentes, explique-t-elle. Un élève peut marmonner ou mâcher ses mots pendant sa présentation, et me faire manquer le meilleur. Ça joue dans l'autre sens, également : un élève doué d'un bon instinct dramatique peut rendre vivant un écrit qui n'a que peu de valeur littéraire.

Abby se demande soudain si elle a réussi à le faire. Mme Élisabeth s'est-elle rendu compte, en relisant son texte, qu'il était encore pire que ce qu'elle pensait?

— Sortez vos cahiers d'écriture, dit l'enseignante à ses élèves. Quand je vous aurai remis vos travaux, nous entreprendrons un nouveau projet.

Passant d'un pupitre à l'autre, elle tend aux élèves leurs copies.

— J'ai un A+! jubile Béthanie.

— Pour une composition sur les hamsters? s'indigne Brianna.

— Ce n'est pas le sujet qui compte, mais la façon dont vous le traitez, lui répond Mme Élisabeth, assez fort pour être entendue de toute la classe.

— Ce n'est pas toujours vrai, chuchote Abby à Nathalie. Ma chambre était ennuyante, alors j'en ai fait une description ennuyante.

— Tu te trompes, fait Nathalie en secouant la tête. J'ai bien aimé ta composition.

Abby hausse les épaules. Nathalie est une amie loyale. Mais c'est *elle* qui se trompe.

— Pas mal, Brianna, dit Mme Élisabeth en lui remettant sa copie.

Brianna fixe sa note avec incrédulité et le rouge lui

monte aux joues.

— Pas mal? glapit-elle. Madame Élisabeth, je mérite mieux qu'un B! Aucun autre élève de cinquième n'a un écran de télévision géant dans sa chambre!

— Ta note n'évalue pas le contenu de ta chambre, Brianna, rétorque l'enseignante.

— Pourquoi pas? veut savoir Brianna, mais elle n'obtient pas de réponse.

— Hé! Regardez-moi ça! jubile Mason en montrant son devoir, marqué d'un gros A.

— Félicitations! lui dit Abby.

Mason a un A, Béthanie, un A+, et Brianna, un B. Est-ce que ce sera le premier C d'Abby en création littéraire?

Abby a envie de bondir pour annoncer à tous ses camarades que sa chambre est totalement transformée; qu'elle a passé la fin de semaine à sabler, gratter et peindre; qu'elle a maintenant une lampe, une table de travail, une chaise, une bibliothèque et des rideaux mauves.

Mais elle veut aussi leur en faire la surprise. Pas question de vendre la mèche avant d'avoir imaginé la façon idéale de révéler son secret.

— Voici ta copie, Abby, dit Mme Élisabeth.

Abby tourne la feuille à l'envers pour ne pas voir la note.

— Je ne peux pas regarder, dit-elle à Nathalie. Dis-moi ce que j'ai eu.

Nathalie retourne la feuille.

— B+, annonce-t-elle.

— Vraiment?

— B+, répète Nathalie avec fermeté.

Abby ouvre les yeux et les baisse sur son devoir.

— Youpi! s'écrie-t-elle. B+! C'est pas mal!

— Tu vois bien! dit Nathalie. Ce n'est pas le sujet qui compte, mais la façon de le traiter, ajoute-t-elle en citant Mme Élisabeth.

— C'est plus que ce à quoi je m'attendais, dit Abby.

Saisie d'un urgent besoin de confier à quelqu'un la métamorphose de sa chambre, elle se penche vers Nathalie.

— Devine quoi! dit-elle.

— Quoi?

Mais Mme Élisabeth tape des mains pour obtenir l'attention des élèves. Elle prend une craie et demande :

— Qui a déjà écrit une composition sur le thème : « Ce que j'ai fait pendant mes vacances d'été »?

— Ce n'est rien, chuchote Abby à Nathalie tandis que toute la classe lève la main. Je te raconterai plus tard.

— Je vous propose une petite variante, poursuit l'enseignante en souriant. Le thème d'aujourd'hui est : « Ce que *j'aimerais* faire pendant les vacances ».

— Hein? fait Mason.

— Si vous aviez devant vous toutes les possibilités imaginables, explique Mme Élisabeth, que feriez-vous de vos vacances d'été?

— Je lirais des livres de blagues, répond Rachel.

— Je camperais à la belle étoile pendant trois mois! s'exclame Jessica.

— J'irais travailler dans un hôpital vétérinaire! crie Béthanie.

Des douzaines de voix répondent en même temps : « J'irais me baigner! », « Je visiterais mes cousins! », « Je passerais beaucoup de temps devant la télé! », « J'irais à Paris! », « Je ne ferais rien! »

Mme Élisabeth lève la main pour que les élèves se taisent et poursuit :

— Laissez aller votre imagination! Qu'elle s'envole en toute liberté! Décrivez-moi de quelle façon vous rêvez de passer vos vacances, cet été. Et peu importe que ce soit sur Mars ou sur les plages du New Jersey.

Abby et Nathalie échangent un regard.

— À Poudlard! s'écrie Nathalie en saisissant son stylo et son cahier.

— Des jeux d'ordinateur sans arrêt! hurle Zach.

— Écris-le, dit l'enseignante. Comment serait-ce de jouer à l'ordinateur sans arrêt, jour et nuit? C'est vraiment ça, pour toi, l'été idéal?

Abby baisse les yeux sur sa feuille blanche. Aucune idée ne lui vient à l'esprit. Elle relit en silence la fin de sa composition de la semaine dernière. « Je rêve d'avoir un plafond mauve parsemé de volutes! Avec un tapis mauve et des rideaux assortis! Ah! si je pouvais transformer ma chambre en un Palais du mauve! »

Il y a une semaine, c'était un simple rêve. Maintenant, c'est une réalité.

« Je l'ai fait, se dit-elle. J'ai réellement transformé ma chambre en un Palais du mauve! Et j'ai obtenu un B+ pour une rédaction que je ne pensais pas très bonne. »

Si elle imaginait de merveilleux projets pour ses vacances d'été, deviendraient-ils réalité?

Maintenant qu'elle a métamorphosé sa chambre, que lui reste-t-il à désirer?

Abby réfléchit. Elle pourrait s'inscrire à un atelier d'écriture pour enfants. Donner la plus belle fête que la cinquième année ait jamais vue. Prendre l'avion toute seule pour rendre visite à grand-maman Emma. Apprendre à jouer du piano.

Et ce n'est qu'un début.

Elle prend son stylo et se met à écrire.

Chapitre 12

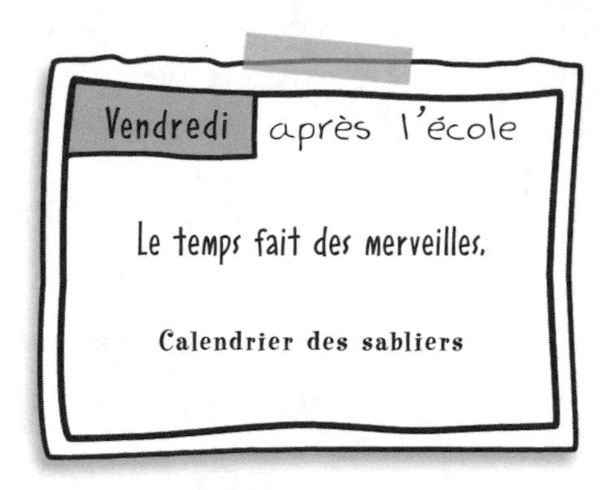

Si c'était donc vrai! J'aimerais bien que le temps fasse des merveilles. Ce serait formidable qu'il s'occupe des emplettes pour la fête, qu'il prépare la nourriture, qu'il installe toutes les décorations et choisisse la musique. Comment pourrais-je convaincre le temps de faire tout ça?

J'ai besoin que quelqu'un fasse des merveilles! Mon esprit s'est tellement concentré sur ma chambre que je n'ai même pas pensé à ma fête de fin d'année.

Et elle a lieu demain! Cinquante et un de mes camarades vont venir. Tout le monde a accepté, même Brianna et Victoria.

(Petite pause pour pousser un cri silencieux.)

Je ne suis pas prête. Je suis loin d'être prête. Avec tout ce qu'il y a à préparer : la bouffe, les tables, les jeux, les décorations, la musique! Le temps n'aide pas du tout! Il me rapproche de plus en plus de la fête.

Éva et Isabelle avaient raison. J'aurais dû me préparer d'avance. J'aurais dû accepter leur aide. Est-il trop tard? Vont-elles encore accepter de me donner un coup de main?

Refermant son journal d'un coup sec, Abby bondit hors du lit et part à la recherche de son père. Elle grimpe l'escalier quatre à quatre.

— Papa! crie-t-elle en filant vers son bureau. Es-tu là?

Pas de réponse. Il n'y a personne d'autre à la maison. Sa mère est toujours au travail, et ses sœurs jumelles, à l'école. Éva a un entraînement de lacrosse, Isabelle rencontre son groupe d'art dramatique et Alex est chez un copain.

— Papa! crie-t-elle. Papa!

— Je suis là! dit Paul Hayes, qui apparaît au bas de l'escalier. Qu'est-ce qui se passe, Abby? Tu as l'air désespérée!

— Je le suis! C'est demain qu'a lieu la fête! gémit Abby. Il n'y a rien de prêt! Sauf ma chambre, ajoute-t-elle. À l'heure qu'il est, je devrais avoir terminé tous les préparatifs!

— Calme-toi, dit son père. Tu n'es pas seule dans cette galère. Personne ne s'attend à ce que tu organises seule une fête pour toute la cinquième année. Comment ta mère et moi pourrions-nous oublier que 51 enfants de 10 ans vont envahir la maison demain à 14 heures?

Paul Hayes sort un papier de sa poche et se met à lire :

— Vingt paquets de saucisses et de pains à hot dogs, 10 sacs de croustilles, du maïs soufflé, 12 litres de crème glacée, un gros contenant de salade de pommes de terre, six bouteilles de jus, cinq melons d'eau... Ça, c'est la liste d'emplettes, dit-il en regardant sa fille. Tu es d'accord?

Abby fait oui de la tête.

— On ira acheter tout ça après le souper, continue son père. Pendant qu'on sera au supermarché, ta mère préparera les tables, montera la tente et sortira les bols et les ustensiles de service. Tes sœurs vont s'occuper des gâteaux.

— Ensemble? s'écrie Abby, effrayée.

— Même les jumelles collaborent à l'occasion, dit Paul Hayes. Bien que je n'aie pas vu ça très souvent, je le reconnais.

— Et si elles se mettent à se chicaner et qu'elles laissent brûler les gâteaux? Et si elles oublient de mettre de la poudre à pâte? Et si elles remplacent le sucre par du sel?

— Si ça t'inquiète tant que ça, pourquoi ne fais-tu

pas les gâteaux toi-même? suggère son père. Tu pourrais t'y mettre au retour du supermarché, après qu'on aura installé les tables et les décorations.

— Non, non, Éva et Isabelle peuvent s'en charger, s'empresse de dire Abby. J'espère seulement qu'elles ne vont pas tout rater!

— Ça va bien se passer, rassure-toi. Tu peux compter sur tes sœurs pour confectionner deux gâteaux tout à fait délicieux.

— Je le croirai quand j'y aurai goûté, marmonne Abby.

Paul Hayes pose la main sur l'épaule de sa fille.

— Qu'est-ce qu'il te reste à faire?

— Seulement décorer, gonfler des ballons, trouver la musique, planifier quelques jeux, m'arranger pour que tout le monde s'amuse. Et nettoyer après.

— Tu vas y arriver, promet son père. Et nous aussi.

Abby sort les sacs d'épicerie de la voiture.

— Vous avez trouvé tout ce qu'il y avait sur la liste, ton père et toi? demande sa mère en repoussant une mèche rebelle de son visage.

Elle est en train de sortir des ustensiles de service d'un tiroir.

— Oui, répond Abby.

— Des œufs? s'enquiert Isabelle. Du fromage à la crème? Du sucre à glacer? Éva et moi en avons besoin pour le glaçage.

— Je pense bien tout avoir, dit Abby.

Fouillant dans un des sacs, elle en retire une douzaine d'œufs et un paquet de fromage à la crème.

— En voilà une partie, en tout cas, dit-elle. Qu'est-ce que vous faites?

— Je fais un gâteau aux carottes avec un glaçage au fromage à la crème, dit Éva en montrant un bol rempli de pâte. Et Isabelle prépare un gâteau aux deux chocolats avec une glace crémeuse à la vanille.

— Miam! fait Abby. Je peux lécher les plats?

— Pas question! dit Isabelle. Sors d'ici! Ne dérange pas les cordons-bleus!

Éva verse sa pâte dans un grand moule, puis gratte le bol à l'aide d'une spatule, qu'elle tend ensuite à sa jeune sœur.

— Tiens, Abby! dit-elle. Tu peux goûter.

— Ne mange pas ça! intervient Isabelle. Il y a des œufs crus là-dedans. Ça pourrait te rendre malade!

Abby hésite.

— Tu ne voudrais pas tomber malade la veille de la fête, renchérit sa mère. Mets ça dans le lave-vaisselle, Éva.

— J'y ai goûté, moi, dit celle-ci. C'est délicieux.

— Ne compte pas sur ma sympathie si tu vomis toute la nuit et si tu as de la fièvre, la prévient Isabelle.

— Je ne compte jamais sur ta sympathie, de toute façon, rétorque Éva. Tu es certaine que tu ne veux pas goûter? dit-elle en présentant la spatule à Abby.

— Non, je ne pense pas, répond Abby en hochant la tête.

« M'empoisonner serait bien la pire chose qui pourrait m'arriver », songe-t-elle en rangeant les saucisses dans le frigo.

Éva dépose le moule dans le four.

— Dans une heure, le gâteau aux carottes sera cuit! annonce-t-elle.

— Hourra! s'écrie Abby.

Isabelle s'affaire à vider le contenu de son bol dans un autre moule.

— Ce sera le meilleur gâteau au chocolat que tu auras jamais goûté, promet-elle à Abby. Veux-tu connaître mon secret?

— C'est quoi? demande Abby. Tu as mis de la noix de coco? De la saveur à l'orange? Des cerises?

— Du vinaigre, déclare Isabelle.

— Du vinaigre? s'écrie Abby. Es-tu folle?

— Pas du tout. Ce gâteau sera délicieux.

Isabelle glisse son moule dans le four et règle la minuterie.

— Maman, elle va gâcher la fête! se lamente Abby. Fais quelque chose!

— Pour ça, elle va la gâcher, renchérit Éva. Isabelle gâche tout!

Isabelle lui tire la langue.

Debout devant l'évier, Olivia Hayes met de l'eau dans les bacs à glaçons.

— Arrêtez, Éva et Isabelle, gronde-t-elle. Cessez de

tourmenter votre sœur. Et toi, Abby, sache que c'est une très bonne recette. Je l'ai souvent utilisée moi-même. Le gâteau est succulent.

— En es-tu sûre? demande Abby avec anxiété.

Du gâteau au vinaigre, c'est comme un cauchemar. Elle imagine déjà les grimaces de ses amis et de ses camarades de classe.

— Sinon, j'en achèterai un à la pâtisserie, promet sa mère. Bon, on va maintenant disposer les tables pliantes sur la terrasse.

Alex entre en trombe dans la cuisine. Il est déjà en pyjama.

— Je veux aider, moi aussi! dit-il. Est-ce que je peux faire un gâteau?

— Ils sont déjà faits, répond Éva en lui ébouriffant affectueusement les cheveux.

— Ils sentent bon, commente Alex.

Abby fouille dans un des sacs.

— Alex! Veux-tu gonfler des ballons? demande-t-elle. Je vais les attacher à la clôture et autour de la terrasse.

Alex fait oui de la tête.

— Tiens, dit Abby en lui tendant un paquet de ballons mauves. Assure-toi de faire des nœuds solides pour que l'air ne puisse pas s'échapper.

— Je sais comment faire! réplique Alex.

Abby suit sa mère sur la terrasse, où elles disposent les tables pliantes.

— On va attendre demain pour mettre les nappes, suggère sa mère. Il ne faudrait pas que le vent les emporte pendant la nuit.

— Bonne idée, dit Abby.

Déjà que ce gâteau au vinaigre l'inquiète! Elle ne voudrait pas de nappes qui s'envolent, par-dessus le marché. Elle lève les yeux vers le ciel nuageux. Voilà un autre sujet d'angoisse.

— Et s'il fallait qu'on ait du mauvais temps? demande-t-elle. Ou qu'on gèle? Ou qu'il pleuve à verse?

Sa mère secoue la tête.

— J'espère de toutes mes forces que le ciel sera bleu. Parce qu'avec 50 jeunes dans la maison...

Sa voix s'estompe.

— On pourrait descendre au sous-sol, suggère Abby. On louerait des films et on jouerait au ping-pong.

— Il y a de la place pour 20 personnes, tout au plus, dans le sous-sol, dit sa mère. S'il pleut, on va devoir diviser le groupe en deux. La moitié dans le salon, l'autre en bas.

— Et quelques-uns dans ma chambre! enchaîne Abby.

Sa mère fronce les sourcils.

— Il n'est pas question que la cinquième année se promène dans la maison en toute liberté, dit-elle. On ferait mieux de se croiser les doigts.

— D'accord, dit Abby. Je vais me croiser les orteils, aussi.

L'arôme des gâteaux fraîchement sortis du four emplit la maison. Tandis qu'ils refroidissent sur le comptoir, Éva et Isabelle préparent les glaçages.

— Mon glaçage au fromage à la crème est pas mal plus sain que le tien, remarque Éva en lorgnant, d'un œil critique, le bol d'Isabelle. Le tien est tout sucre.

— Mais devine quel gâteau sera le plus populaire! rétorque Isabelle.

— À condition que personne ne sache ce qu'il contient! dit Éva.

— Personne ne le saura, affirme Isabelle. Et tout le monde en redemandera!

— Je l'espère bien, dit Abby en revenant dans la cuisine avec Alex, qui est toujours en train de gonfler des ballons.

— Ne t'en fais pas, dit son père, qui transporte des sacs de charbon de bois et un gril à hot dogs.

Abby jette un regard autour de la cuisine. Elle voit l'évier, rempli de bols; la table couverte d'ustensiles et de victuailles; les ballons éparpillés par terre; les listes de choses à faire collées au frigo, et les comptoirs jonchés de cuillères et de fourchettes sales.

— C'est ce que tout le monde dit! Ne t'en fais pas! Ne t'en fais pas! Et pourquoi je devrais arrêter de m'en faire, hein? La cinquième année au grand complet sera ici demain!

— Elle souffre de la panique des réceptions! déclare Isabelle en brassant son glaçage. C'est normal d'être stressée quand on reçoit autant de monde.

— Attends d'avoir organisé quatre ou cinq fêtes d'affilée, dit Éva. Ça devient beaucoup plus facile.

Son père dépose le gril et le charbon de bois près de la porte arrière.

— Je te l'ai dit, Abby, tu n'es pas toute seule. Il y a plein de monde qui t'aide.

Alex noue une ficelle autour d'un ballon mauve pour le suspendre à la porte de la façade.

— Ouais, moi, par exemple, Abby, dit-il.

— Et on va continuer demain, promet son père en s'essuyant les mains.

Abby regarde sa famille et respire un bon coup.

— Tu as raison, papa. Merci, tout le monde!

— On va te faire payer pour ça, plus tard, la taquine Éva.

— Ouais, renchérit Isabelle. Attends qu'*on* organise notre prochaine fête!

Dans sa chambre, Abby s'étend sur son lit et examine ses murs mauves. Poussant un soupir de satisfaction, elle prend son journal.

Ce n'est pas le temps qui a fait des merveilles, c'est ma famille!

Les fabricants de merveilles de la famille Hayes :

1. Papa. Il a acheté la nourriture et monté le gril. C'est lui qui fera les hot dogs demain.

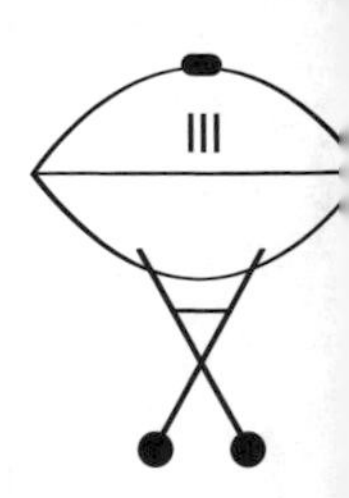

2. Maman. Elle a monté les tables pliantes, sorti les nappes, empilé sur les tables les tasses, les assiettes de carton, les ustensiles de plastique et les serviettes de papier. Elle a fait une réserve de cubes de glace, sorti les accessoires de service et les planches à découper. Elle a trouvé du papier crêpé pour les décorations.

3. Isabelle. Elle a confectionné et glacé un gâteau au chocolat (au vinaigre).

4. Éva. Elle a confectionné et glacé un gâteau aux carottes. Avec du glaçage mauve, elle a écrit « Vive l'été! » sur les deux gâteaux.

5. Alex. Il a gonflé un paquet de ballons mauves. Il en a accroché un à la porte d'entrée pour que mes amis sachent où a lieu la fête.

6. Abby. Elle a eu l'idée de la fête. Elle a remporté le débat contre les parents. Elle a conçu et imprimé les invitations. Elle a peint sa chambre en mauve, fait les emplettes avec papa, rangé la nourriture. Elle a aidé maman à sortir les tables, décoré les gâteaux en y dessinant des étoiles, des cœurs et des arabesques, et gonflé quelques ballons.

Sommes-nous prêts? Presque!!!

Chapitre 13

Oui, demain arrive! Demain est arrivé! C'est aujourd'hui!

C'est aujourd'hui qu'a lieu ma fête de fin d'année. Bientôt, tous mes camarades de classe seront là!

HOURRA!!!

Abby regarde dehors par la fenêtre d'en avant.

— Non, mais quand vont-ils donc arriver? demande-t-elle avec impatience.

— Pas avant au moins 10 minutes, répond Isabelle en souriant. Les invités sont habituellement en retard, de toute façon.

Sur les tables, dressées pour la fête, il y a des plateaux de fromages, des petits pains, des fruits, des bols de maïs soufflé et de grosses bouteilles de boissons gazeuses. Les gâteaux, glacés et décorés, attendent, cachés dans le frigo.

La cour est prête aussi. Alex a branché le lecteur de CD et empilé des disques à côté. Le filet de volleyball est suspendu au fond de la cour. Abby a traîné dehors un coffre rempli de jeux de société. Des ballons se balancent à la clôture et autour de la terrasse.

Abby s'approche du miroir et regarde son reflet avec anxiété : son t-shirt mauve, son pantalon à motifs de fleurs mauves, ses barrettes mauves, et les marguerites mauves qui ornent ses espadrilles.

— Tu es bien mignonne, lui dit Isabelle. Vas-tu montrer ta chambre mauve à tout le monde?

— Non, fait Abby en secouant la tête. Seulement à mes amis les plus proches.

Elle a décidé d'inviter Jessica, Nathalie, Béthanie, et peut-être aussi Casey, à monter la voir vers la fin de la fête.

Une portière d'auto claque. On entend des pas sous le porche.

— Il y a quelqu'un, annonce Isabelle au moment où résonne la sonnette.

Abby court à la porte.

— C'est Jessica et Sara! crie-t-elle. Salut! Vous êtes les premières arrivées!

— Tiens, c'est pour la fête, dit Jessica en lui tendant une assiette de biscuits. Je les ai faits ce matin avec ma mère.

— Merci, dit Abby.

Sara se tortille dans l'entrée, mal à l'aise.

— Euh, je n'ai rien apporté, dit-elle. J'espère que ça ne fait rien.

— Pas de problème, assure Abby. On a plein de choses à manger.

— Attendez de goûter à mon gâteau au chocolat! claironne Isabelle.

— Formidable! s'exclame Jessica.

— J'espère qu'il l'est! marmonne Abby.

— Quoi? fait Sara.

Abby ne répond pas, mais dit plutôt :

— La fête a lieu dans la cour. Je vais vous montrer le chemin.

— Je connais le chemin! lui rappelle Jessica. Ça fait seulement un million de fois que je viens ici depuis la maternelle.

— Oupse! Ouais! C'est vrai! reconnaît Abby.

— Si tu veux sortir avec tes copines, je vais répondre à la porte, offre Isabelle.

— Merci, dit Abby en entraînant ses amies à travers la maison.

La cinquième année de l'École élémentaire de Lancaster est réunie au complet dans la cour des Hayes.

Les garçons d'un côté, les filles de l'autre.

À la suggestion de Mason, les garçons ont entrepris un tournoi de rots. Tyler rote l'alphabet, sous les encouragements de Zach. Casey affirme pouvoir roter sur *Ah! vous dirais-je maman?* et sur *Au clair de la lune*. Jonathan le met au défi de le faire.

Les filles, rassemblées autour de Brianna et de Victoria, écoutent le compte rendu du concert de Tiffany Crystal, qui a eu lieu la veille au soir.

— On était dans la première rangée, se vante Brianna. Mon cousin a obtenu les meilleurs billets. N'est-ce pas, Béthanie?

Béthanie ne répond pas.

— Dommage que tu n'aies pas pu venir, se moque Victoria.

— J'avais seulement deux billets, explique Brianna. Naturellement, il fallait que j'en offre un à Victoria. Tu comprends, n'est-ce pas, Béthanie?

— Eh bien, pour être honnête... commence Béthanie.

— Quelle importance? l'interrompt Victoria. Le concert était super. J'ai ramassé, genre, des tonnes de trucs amusants. Une affiche, deux CD...

— J'ai acheté un authentique porte-clés signé Tiffany Crystal, fanfaronne Brianna.

— Je ne... essaie de dire Béthanie.

— Tiffany a été, genre, absolument géniale, enchaîne Victoria. Le chant et la danse, vraiment au max. J'aime, genre, la chanson *Vilain amour doux*...

Bras dessus bras dessous, Victoria et Brianna entonnent la chanson.

— Faites-les taire, quelqu'un! gémit Nathalie. S'il vous plaît!

— Je m'en occupe! dit le jeune frère d'Abby.

Bondissant sur la terrasse, Alex met un CD dans le lecteur et le volume à fond. Victoria et Brianna arrêtent de chanter.

— Genre, mais qu'est-ce que c'est que ça? glapit Victoria.

— Pas les Bourdons atomiques! gémit Brianna. Non mais, ce n'est pas sérieux!

— Ils ont du piquant, rétorque Alex.

— Mais moi, genre, je les déteste royalement, dit Victoria. Fais donc jouer du Tiffany Crystal.

— Désolée, dit Abby. Je n'ai aucun disque de Tiffany.

— Nous sommes dans une zone sans Tiffany, ajoute Nathalie.

— Je me demande bien ce que je fais ici, moi, plutôt que d'être au centre commercial, fait Victoria en roulant de grands yeux découragés.

Brianna jette un coup d'œil rapide en direction des garçons. Mason y va d'un puissant rot.

— Ce qu'ils manquent de maturité! hurle-t-elle. Pourquoi n'as-tu pas invité les gars de sixième ou de septième, comme je te l'avais suggéré, au lieu de ces bébés-là?

— Ouache! s'écrie Rachel. Ils sont encore pires!

— Ce n'est pas vrai! rétorque Brianna.

— Tous les garçons sont ennuyants, intervient tout à coup Béthanie d'une voix forte. Je préfère les hamsters. Parfois je les préfère même aux filles.

Tout le monde la dévisage.

— Quoi? hurle Tyler. Elle aime les hamsters plus que le monde?

— Elle *vit* dans une cage à hamsters, jette Victoria méchamment.

Les yeux de Béthanie s'écarquillent. Son visage devient cramoisi. Ses lèvres se mettent à trembloter.

— Moi, ma chambre n'empeste pas, se moque Victoria.

— Blondie ne sent pas plus mauvais que toi ou Brianna! réplique Béthanie.

Après un moment de silence embarrassé, les langues se délient et tout le monde se met à se disputer.

Tyler et Zach crient que les filles sont pires que les garçons. Rachel et Nathalie crient que les garçons sont pires que les filles. Victoria crie pour faire comprendre à Brianna que c'est l'heure de s'en aller. Brianna accuse Béthanie d'avoir causé la chicane. Béthanie clame qu'elle déteste Victoria. Mason, lui, rote. Jonathan et Megan se tapent dans la main pour une raison qu'ils ne comprennent pas eux-mêmes. Sara et Jessica demandent en hurlant que quelqu'un baisse la musique.

Les Bourdons atomiques vrombissent à qui mieux mieux.

C'est le grand branle-bas de combat dans la cour des Hayes.

Abby cherche frénétiquement du secours autour d'elle. Mais Isabelle et Éva brillent par leur absence et ses parents préparent de la nourriture dans la cuisine. Quant à Alex, il s'amuse à faire osciller le volume du lecteur de CD entre tout bas et à tue-tête.

— Arrêtez, tout le monde! Arrêtez! s'époumone Abby en courant de l'un à l'autre pour tenter de mettre fin aux disputes.

Mais personne ne l'écoute.

Tout à coup, aussi brusquement qu'elle avait commencé, la bataille se termine. Béthanie sèche ses larmes et entreprend une partie de basketball avec Sara et Jessica. Une bande de filles et de garçons courent vers le filet de volleyball. Brianna remet du brillant sur ses lèvres.

— Au moins, il y a de la musique, grommelle Victoria, qui commence à se dandiner au rythme des Bourdons atomiques.

Paul et Olivia Hayes sortent de la maison avec un grand plat de salade de pommes de terre et des paquets de hot dogs. Le père d'Abby allume le gril.

— Belle fête, ma chouette, dit-il à Abby. Tes invités ont l'air de bien s'amuser.

— Euh... ouais. Bien sûr, papa.

* * *

Les jeunes de la cinquième année finissent tout juste de se régaler de hot dogs, de salade de pommes de terre, de croustilles et de melon d'eau lorsque Éva et Isabelle sortent les gâteaux en chantant, sur l'air de *Bonne fête!*

« Bonn' fin d'année à tous!

Bonn' fin d'année à tous!

De bien belles vacances,

Et beaucoup de gâteau! »

Les sœurs jumelles d'Abby déposent les desserts sur une table.

— Ceci est mon extraordinaire gâteau aux carottes avec un glaçage au fromage à la crème, annonce Éva.

— Voici mon fabuleux gâteau au chocolat recouvert de glace à la vanille, et son ingrédient mystère, enchaîne Isabelle.

Elle prend un jouet qui klaxonne et corne à quelques reprises.

— Nous allons maintenant servir le gâteau, annoncent les jumelles d'une seule voix.

Les jeunes se ruent vers la table.

Abby prend un morceau de chacun des gâteaux. Du bout de sa fourchette, elle détache une minuscule parcelle du gâteau au chocolat mystère d'Isabelle. Avec précaution, elle le porte à sa bouche. Fermant les yeux, elle goûte.

— C'est bon! s'écrie-t-elle avec étonnement.

— Je te l'avais bien dit! rigole Isabelle.

— As-tu goûté au mien? veut savoir Éva. Il est encore meilleur!

Abby prend une grosse bouchée de gâteau aux carottes.

— Il est délicieux, lui aussi!

— Les deux gâteaux sont formidables! renchérit Jessica.

— Oui! approuve Casey, la bouche pleine.

— Je voudrais que cette fête ne finisse jamais! dit Nathalie.

— Moi aussi, fait Jonathan.

— Est-ce que je peux en prendre deux fois? demande Tyler.

— Pourquoi pas trois? enchaîne Mason.

— Espèce de goinfre! commente Victoria avec une moue dégoûtée.

— Ce gâteau est bon, mais celui que ma mère a acheté à la pâtisserie française était encore meilleur, dit Brianna.

— Toujours la même, marmonne Abby entre ses dents.

Béthanie pousse un gloussement pendant que Brianna va jeter son assiette de carton.

— On fait une autre partie de volleyball? suggère Abby.

— Super idée! Ouais! Allons-y!

Ses camarades se lèvent et courent vers le filet.

« La fête se déroule bien, sans aucune anicroche »,

songe Abby avec satisfaction. Les jeux sont amusants, la bouffe est formidable – même le gâteau au vinaigre! – et les jeunes de la cinquième année passent un après-midi agréable, empreint de bonne humeur.

En fin de compte, Abby n'a pas eu besoin des services d'Éva et d'Isabelle pour planifier la fête. Elle a un don inné pour organiser de tels événements.

C'est son service. Elle prend le ballon et le projette au-dessus du filet.

— Hiiiiiiiiiiiii!

C'est Brianna qui pousse le premier hurlement.

— Aaaaaaaaah!

Et le second provient de Victoria.

De gros ballons mauves remplis d'eau viennent d'exploser devant les deux filles les mieux habillées de la cinquième année. Elles ont beau agiter les bras pour se protéger, elles sont déjà mouillées de la tête aux pieds. Leurs t-shirts à encolure arrondie ornés de paillettes, leurs minijupes en tissu luisant et leurs souliers à plates-formes sont complètement détrempés. Leurs cheveux pendouillent, tout dégoulinants. Et le mascara coule le long de leurs joues.

Brianna pousse des cris désespérés :

— Mon plus beau t-shirt! Ma plus belle jupe! Ma plus belle coiffure!

— Je suis, genre, toute mouillée! gémit Victoria.

— Sauve qui peut la bombe! crie Mason, au moment où un autre ballon chargé d'eau éclate devant Victoria.

Voilà que, tout à coup, la cour se remplit de ballons d'eau, les nouvelles cibles étant Béthanie, Nathalie, Megan et Rachel.

— Ha! ha! ha! ha! ha! rigolent Mason, Tyler et Zach.

Poussant des hurlements stridents, les filles courent en tous sens pour échapper aux ballons d'eau, qui explosent à côté des tables remplies de nourriture, près du filet de volleyball, dans le potager et sur le gril.

Mais voilà que Nathalie s'arrête net.

— Vengeance! crie-t-elle en filant vers le tuyau d'arrosage. C'est la guerre!

Les filles se regroupent derrière elle.

— Les filles contre les gars! lance Nathalie en brandissant le tuyau. Jusqu'au bout!

— Hourra! hurlent les autres filles. Guerre aux gars!

Nathalie pointe le tuyau vers Mason, puis elle arrose Zach et Tyler.

— On va les avoir! s'écrie Béthanie en vidant une bouteille de boisson gazeuse sur la tête de Jonathan.

Abby a beau s'égosiller :

— Arrêtez! Arrêtez ça! Mais arrêtez-vous donc!

Personne ne l'écoute.

Sa fête est en train de sombrer dans une pagaille incontrôlable. Elle cherche des yeux ses parents – ou même Éva et Isabelle –, mais ils sont tous rentrés à l'intérieur. Alex est le seul Hayes dans les parages.

Chapitre 14

Garder son calme? Vraiment? Je voudrais bien voir quiconque rester calme quand des ballons mauves remplis d'eau volent dans l'air, et que le tuyau d'arrosage, ouvert au maximum, déverse des trombes d'eau sur les garçons!

Non, je n'ai pas gardé mon calme. Je criais, comme tout le monde. Mes parents n'ont rien entendu. Peut-être parce que le lecteur de CD jouait à tue-tête.

Personne d'autre ne m'a entendue non plus.

Impuissante, Abby voit Tyler atteindre Béthanie avec un ballon d'eau, et celle-ci qui riposte en l'aspergeant avec le tuyau. Jessica a rempli un arrosoir qu'elle déverse sur Mason.

Tout se fait inonder : les jeunes, les tables, la bouffe – les croustilles et le maïs soufflé, quelques pains à hot dogs, et ce qui reste des deux gâteaux confectionnés pour célébrer l'arrivée de l'été.

Les élèves de la cinquième année se pourchassent à travers la cour, couverte de boue, en piétinant les fleurs. Le papier crêpé des décorations barbouille les nappes de teinture mauve.

— Arrêtez tout de suite! crie Abby.

Si ses parents voient ça, elle n'aura plus jamais la permission d'organiser la moindre fête.

Ce n'est qu'une question de temps avant qu'ils ressortent et aperçoivent le champ de bataille.

Que peut-elle faire? Y aurait-il un mégaphone quelque part dans la cour? Ou un interrupteur électrique au moyen duquel elle pourrait mettre fin aux affrontements? Ou alors...

Dévalant les marches, Abby se précipite sur le côté de la maison. Là, elle repère le robinet extérieur et le ferme pour arrêter l'eau. Puis elle dévisse le tuyau.

Des cris de frustration s'élèvent du côté des filles.

— Hé! protestent-elles, frustrées. Qu'est-ce qui se passe? Il n'y a plus d'eau!

— Snif! Snif! Snif! crient les gars, qui ont épuisé leurs munitions en lançant les derniers ballons d'eau.

Dans la cour des Hayes, il ne reste plus qu'un groupe

d'élèves détrempés et ruisselants.

Les garçons regardent les filles. Les filles regardent les garçons.

— Qu'est-ce qu'on fait maintenant? demande Béthanie.

Il n'y a plus rien à manger – la bouffe est imprégnée d'eau.

Il n'y a plus rien à faire – les jeux sont tout mouillés.

Il n'y a plus rien à dire.

L'ambiance de la fête est devenue sombre et lugubre.

Est-ce sur cette note qu'elle va se terminer?

Debout sur la terrasse, Abby contemple les ruines de sa fête.

Que faire, maintenant?

Elle tape dans ses mains pour obtenir l'attention. Ses invités se tournent vers elle.

— J'ai une annonce à faire... commence-t-elle.

Elle s'arrête. Qu'a-t-elle à annoncer, au juste?

— Pour les 35 dernières minutes (elle regarde l'heure à sa montre), pardon, pour les 37 dernières minutes de la fête...

— Mais enfin, aboutis! s'écrie Zach.

— Nous allons, hum, nous allons...

— Sécher? suggère Casey, et tout le monde éclate de rire.

— Nous allons... reprend Abby, qui se creuse la cervelle pour trouver quelque chose à proposer.

— Genre, nous changer? ironise Victoria.

— Je n'ai pas de chambre où on peut se changer, commence Abby, dont le regard s'éclaire. Ce que j'ai, cependant, c'est une chambre bien changée!

Elle prend une grande inspiration.

— Vous êtes tous invités à visiter ma chambre! annonce-t-elle. Venez découvrir le spectaculaire Palais du mauve d'Abby.

— Palais du mauve? s'étonne Nathalie. Je pensais que ta chambre était blanche, avec un grand nombre de calendriers.

— C'est vrai qu'il y a beaucoup de calendriers, reconnaît Abby. Mais, dans les dernières semaines, je l'ai toute repeinte – les murs, les meubles et ma lampe – d'un mauve riche et flamboyant.

Jessica en reste bouche bée.

— Tu as fait ça? s'exclame Nathalie. Sans rien nous dire!

— Sa chambre est époustouflante! s'écrie Alex.

Et voilà soudain ses camarades pendus à ses lèvres.

— Venez vivre l'expérience du mauve! crie-t-elle. J'ai transformé ma chambre terne et ennuyante en un poème mauve!

Dans le couloir près de la chambre d'Abby, la cinquième année forme une longue file qui s'étend jusqu'au bas de l'escalier, et même dans le salon.

— Montez, montez! invite Abby. Entrez! Sans

pousser ni bousculer. Cette visite touristique ne coûte pas un sou.

— Chacun son tour, dit Casey, qui se tient à la porte, près d'Abby, pour éviter que les jeunes encombrent la pièce.

— C'est absolument génial! déclare Béthanie en voyant le mauve rutilant.

— J'ai choisi cette couleur pour l'assortir au vernis à ongles d'Isabelle, explique Abby.

— Tu as fait ça toi-même? demande Zach, admiratif. Tes parents ne t'ont pas aidée?

— J'ai *tout* fait moi-même, affirme Abby avec fierté.

— C'est comme vivre à l'intérieur d'une machine mauvitronique, commente Tyler.

— C'est quoi, ça? demande Abby. J'en veux une!

— C'est une machine pour fabriquer la couleur mauve, explique Tyler en haussant les épaules. Je viens de l'inventer.

Jonathan pénètre dans la chambre.

— Wow! s'exclame-t-il. La toute-puissance du mauve!

Abby sourit.

— Mon moineau mauve a mauvaise mine et mon minou mauve mue, dit Casey à Jonathan. Peux-tu dire ça cinq fois de suite sans te tromper?

— Non, avoue Jonathan.

— Mon moineau mauve a mauvaise mine et mon minou mauve mue, répète Casey. Mauve au max!

— Je ne peux pas croire que tes parents t'ont permis de faire ça, dit Nathalie. Les miens n'auraient jamais voulu.

— On ne peut pas dire qu'ils étaient enchantés, confesse Abby. Mais il était trop tard!

Au tour de Brianna et de Victoria d'entrer dans la chambre.

— Bienvenue dans le Palais du mauve, dit Abby.

— Moi, ma chambre est peinte d'un ton pêche, avec des moulures et du papier peint en soie rayée, raconte Brianna. Ma mère a retenu les services d'une décoratrice. J'ai un lit à baldaquin en dentelle belge. C'est comme une vraie chambre de princesse.

— Et la couleur de celle-ci, tu l'appellerais comment? ricane Victoria. Mauve monstrueux? Ou mocheté mauve?

Mason fait un bruit grossier.

— Moi, j'aime ça, dit-il. C'est criard. C'est brillant. C'est...

— Mauve, peut-être? suggère Zach.

Victoria retrousse les lèvres.

— C'est... dit-elle.

— Parfait, coupe Béthanie pour compléter sa phrase.

— Dis donc, toi, est-ce que, genre, je t'ai parlé? demande Victoria.

— Probablement pas, répond Béthanie. Et on s'en fiche!

Victoria ouvre la bouche, puis la referme.

— Félicitations, Abby, dit Brianna. Pour la fête, et

aussi pour ta chambre mauve. Victoria et moi, on la trouve *very pretty*.

Elle regarde sa montre.

— Je pense que ma mère va venir nous chercher bientôt.

— Ding dong! dit Nathalie au moment où les deux copines glissent hors de la chambre.

— Bon débarras, le diable s'en va! marmonne Béthanie.

Ses amies la dévisagent avec étonnement.

— Tu dis ça sérieusement? demande Nathalie.

Béthanie fait oui de la tête.

— Hourra! s'écrient Abby et Nathalie à l'unisson.

— Pensez-vous que je devrais inviter Mme Élisabeth à voir ma chambre? demande Abby. C'est grâce à son devoir que j'ai décidé de la repeindre.

— Mais oui, dit Jessica. Pourquoi pas?

— Ça lui donnera peut-être l'idée d'un autre devoir de création littéraire! s'exclame Abby. Elle trouve son inspiration dans des endroits inattendus!

— Je parie qu'elle va l'adorer, dit Béthanie.

Rachel passe la tête dans la chambre.

— Laisse-moi deviner, dit-elle. Ta couleur favorite est...

Chapitre 15

Vrai ou faux?

1. On ne peut pas avoir trop de mauve!
2. On ne peut pas avoir trop d'enfants à une fête!
3. On ne peut pas avoir trop de gâteau!
4. On ne peut pas avoir trop de ballons d'eau!
5. On ne peut pas inviter trop d'amis à voir sa chambre!
6. On ne peut pas en avoir trop de Brianna et de Victoria.

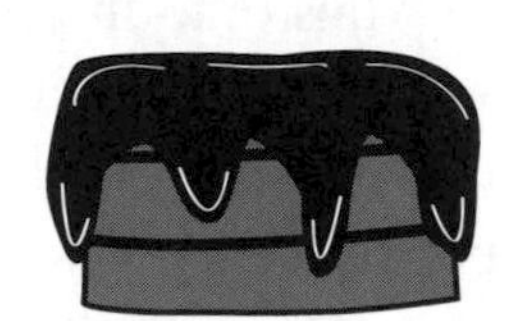

Réponses :

1. Vrai
2. Vrai
3. Vrai
4. Faux
5. Vrai
6. Faux (Si vous n'avez pas la bonne réponse à cette question, c'est que vous êtes Brianna ou Victoria.)

La fête est finie!

Snif! Snif! Comment a-t-elle pu passer aussi vite?

Demain, qui est devenu aujourd'hui, est maintenant hier.

(Si vous comprenez le sens de la phrase précédente, vous gagnez un morceau du gâteau de la fête! Un peu humide, peut-être, mais bon...)

Le nettoyage est terminé.

J'ai jeté toutes les assiettes et les tasses en carton. Ainsi que les décorations et les pains à hot dogs détrempés.

J'ai mis au recyclage les bouteilles de boissons gazeuses et les ustensiles en plastique.

J'ai placé les nappes dans la laveuse. J'ai asséché les jeux de société. J'ai rebranché le tuyau d'arrosage. J'ai passé une vadrouille humide sur le plancher de la cuisine, là où mes amis ont marché avec des pieds boueux. Dans la cour, j'ai ramassé des milliards de morceaux de ballons éclatés.

Statistiques de la fête :

Melons mangés : 3½

Ballons d'eau lancés : 34

CD de Tiffany Crystal joués : 0 (Ha! ha! ha! ha!)

Records fracassés dans le Livre Hayes des records du monde : 5

1. Abby devient la fille qui a trouvé la solution la plus rapide pendant une bataille féroce.

2. Mason devient l'organisateur le plus sournois d'un bombardement de ballons d'eau.

3. Victoria et Brianna obtiennent la palme pour les ensembles les plus détrempés.

4. Béthanie devient la fille qui a refait surface avec le plus de courage.

5. Les membres de ma famille deviennent les aides Hayes les plus extraordinaires! Ce sont les meilleurs!

(Ils m'ont même aidée à tout nettoyer.)

La famille Hayes discute de la fête d'Abby :

Olivia Hayes : Ta première fête semble avoir été un énorme succès, Abby.

Éva : C'est la chance des débutants! Pas le moindre désastre?

Abby : Euh...

Isabelle : Ils ont aimé les crayons mauves que tu leur as remis en cadeau, n'est-ce pas?

Abby : Je les ai distribués dans ma chambre mauve.

Olivia Hayes : Ils se souviendront de la fête chaque fois qu'ils écriront avec.

Isabelle : Ou qu'ils verront quelque chose de mauve.

Abby : Je l'espère bien!

Alex : Le plus formidable, c'était la bataille de ballons d'eau!

Paul Hayes : Quelle bataille de ballons d'eau?

Abby : Euh...

Éva : Alors, à quand ta prochaine fête, Abby?

Abby : Dans cinq ans?

Je repense au commentaire de Brianna sur ma chambre. A-t-elle vraiment dit qu'elle la trouvait très jolie? Pas surprenant qu'elle l'ait dit en anglais! Elle tenait à ce que personne ne le sache! Peut-être a-t-elle aimé mon Palais du mauve plus que sa chambre griffée. Je parie que oui!!!!!!

J'adore ma chambre mauve! Elle me plaît tellement!!! Et un grand nombre de mes camarades l'ont aimée, aussi. J'ai vraiment hâte de les réinviter chez moi. Je vais élargir le cercle de mes amis, et nous jouirons ensemble de mon Palais du mauve!

Mais pas tous en même temps! Finies, les longues files d'attente dans l'escalier des Hayes pour un simple coup d'œil sur le mauve. J'inviterai deux ou trois amis à la fois, pas plus!